MARCO

EGYPTE

Reisgidsen geschreven door kenners

De volgende symbolen helpen u de informatie snel te vinden:

★

Marco Polo-tips — het allerbeste in elke categorie

\\\|/

bezienswaardigheden met prachtig uitzicht

◉

plaatsen waar veel Egyptenaren komen

🧍

plaatsen waar veel jongeren komen

(A1)
coördinaten van de kaart

de mooiste plekjes van Egypte bij elkaar gebracht in één route

Birgit Bogler

MARCO ⊕ POLO

Reeds verschenen:

Algarve
Amsterdam
Andalusië
Athene
Bali, Java/
  Indonesië
Barcelona
Berlijn
Boedapest
Bourgogne
Bretagne
Brussel
Californië
Corsica
Costa Brava
Côte d'Azur
Cuba
Cyprus
Denemarken
Disneyland® Parijs
Dominicaanse
  Republiek
Egypte
Eifel
Elzas
Florence

Florida
Franse Atlantische
  kust
Fuerteventura
Gardameer
Gran Canaria
Griekse eilanden/
  Egeïsche Zee
Griekse eilanden/
  Ionische Zee
Hongarije
Ibiza en
  Formentera
Ierland
Isla Margarita
Israël
Istanbul
Italiaanse
  Adriatische kust
Italiaanse Rivièra
Jeruzalem
Karinthië
Kopenhagen
Kreta
Lanzarote
La Palma

Lissabon
Loire-dal
Londen
Luxemburg
Madeira
Madrid
Mallorca
Malta
Marokko
Mexico
Milaan/Lombardije
Moezel
Moskou
New York
Noorwegen
Normandië
Parijs
Peloponnesos
Polen
Portugal
Praag
Provence
Rhodos
Rome
Salzburg/
  Salzkammergut

San Francisco
Schotland
Sicilië
St.-Petersburg
Tenerife
Thailand
Tirol
Toscane
Tsjechië &
  Slowakije
Tunesië
Turkije
Turkse West- en
  Zuidkust
USA-Oost
USA-West
Venetië
Vlaanderen
Wenen
Zuid-Engeland/
  Eurotunnel
Zuid-Tirol
Zwarte Woud
Zweden
Zwitserland

Voor Nederland:
Postbus 170
3990 DD Houten

**Hebt u goede tips, schrijf dan
aan de redactie van
Marco Polo-reisgidsen**

Voor België:
Belgiëlei 147A
B-2018 Antwerpen

© 1996 International rights: Mairs Geographischer Verlag
Samengesteld door: Ferdinand Ranft
Ontwerp/lay-out: Thienhaus/Wippermann (Hamburg)
© 1996 Nederlandstalige uitgave: Van Reemst Uitgeverij bv, Houten
Standaard Uitgeverij n.v., Antwerpen

2de herziene druk

Boekverzorging: *de Redactie*, Amsterdam
Vertaling: Toon van Casteren/Bewerking: Esther Ottens
Opmaak: De Vonder PrePress Service, Eindhoven
Druk: G. Canale & C. Torino

Omslagfoto: Ramseskop, Thebe (Lade/Scharf)
Foto's binnenwerk: Bogler (27); Flottau (voorflap, 34, 53, 59, 88, 96); Mauritius: Eberle
(57), Feckete (87), fm (7, 10), Gierth (24, 41), Knobloch (6), Kugler (42), Martens
(80, 84), Mollenhauer (31, 74), Otto (64), Schwarz (12, 32, 61), Vidler
(4, 19, 38, 48, 91); Schapowalow: Hilmer (15), W. Thamm (47, 76), Weyer (66, 70);
tm Bildarchiv (28); Transglobe Agency: J.G. Scheibner (18)

ISBN 90 410 1518 3
CIP/NUGI 471
WD 1996/0034/407

INHOUD

Ontdek Egypte

Wie aan Egypte denkt, denkt aan graven, tempels, moskeeën en piramiden. Maar het land heeft nog meer te bieden

In vroeger tijden waren het vooral cultuurzoekers die de Nijl bereisden en de overblijfselen bewonderden van de hoogontwikkelde beschaving van het faraotijdperk. Wat vroeger alleen voor een kleine groep geprivilegieerden was weggelegd, ligt momenteel voor veel mensen binnen bereik. De laatste jaren heeft het toerisme in Egypte een ongekende vlucht genomen, waarvan het eind nog lang niet in zicht is.

De meeste bezoekers komen nog steeds niet verder dan de monumenten van het oude Egypte, ze pelgrimeren naar de graven en tempels. Maar Egypte heeft meer te bieden dan piramiden en kolossale beelden. Buiten de gebaande paden ontdekt de reiziger de vele facetten van een land dat veel veroveraars zag binnenmarcheren, dat nieuwe culturen opnam zonder het eigen erfgoed op te geven.

U kunt door de witte woestijn trekken en onder de blote hemel slapen of de geïsoleerde wereld van de oasen ontdekken, waar de mensen nog precies zo leven als honderden jaren geleden. U kunt ook een tocht maken door het groene, vruchtbare Nijldal, waar de levenswijze van de fellah's, de Egyptische boeren, sinds de tijd van de farao's maar weinig veranderd is.

U kunt tot rust komen in Aswan, dat gemoedelijke stadje op het kruispunt van twee culturen, waar u luistert naar Nubische muziek terwijl u op een felouk, een type zeilboot dat al in de Oudheid op de Nijl voer, voort dobbert. Hier begint zwart Afrika, de muziek verraadt het al.

U kunt genieten van uw cocktail op het terras van het Old Cataract Hotel, zoals ook de officieren van het Britse koloniale leger al deden – de koloniale machten moesten vertrekken, het vredige rivierlandschap van Aswan, met zijn gele zandduinen en rotsen, bleef zoals het al was toen Ramses II de tempel van Abu Simbel liet bouwen. Pas de gigantische stuwdam ten zuiden van Aswan veranderde deze streek met haar duizenden jaren oude traditie – sinds die tijd

Veertig eeuwen zien op u neer – de Grote Sfinx, 20 m hoog en 73,5 m lang

wordt dit vroegere Nubische woongebied bedekt door een reusachtig stuwmeer.

U kunt een reis maken naar de Sinaï met zijn adembenemende rotsformaties en canyons, waar vooral bij zonsondergang de natuur een grandioos kleurenspel op de rode zandsteen te voorschijn tovert. De kust van de Sinaï, en trouwens van de hele Rode Zee, is beroemd om zijn wereld onder water. In het glasheldere water liggen indrukwekkende koraalriffen.

Zonnen op sneeuwwitte stranden kunt u aan de Middellandse Zee, onder de palmwouden van El-Arisj of tegen een decor van steil in zee aflopende kalksteenrotsen bij Marsa Matruh. U zou ook eens moeten rondslenteren door Alexandrië, dat weliswaar al lang geen aanspraak meer kan maken op de naam 'parel van de Levant', maar waar toch nog, zeker in enkele hotels en cafés, iets van het fin de siècle, van de elegantie en decadentie van de jaren twintig en dertig is blijven hangen.

Minstens zo boeiend is een speurtocht naar het historische Cairo, de plekken waar vroeger de Mamelukken-sultans hof hielden en de pelgrimskaravanen door de stadspoort Bab el-Futuh naar Mekka trokken; een bezoek brengen aan El-Azhar, de oudste islamitische universiteit, rondslenteren door de smalle steegjes van de Khan el-Khalili-bazaar en de souks (marktstraatjes) daaromheen. Ondanks het vuil en de armoede straalt dit stadsdeel toch nog iets uit van de sprookjes van duizend-en-een nacht. De rijke historische entourage van deze wijk geeft in haar bonte verscheidenheid een goed beeld van hoe

een middeleeuwse oosterse metropool er moet hebben uitgezien.

Wat dacht u van een bezoek aan het Koptische Cairo? Het christendom in het land aan de Nijl kan terugzien op een historie van al bijna tweeduizend jaar; in de kerken van Oud-Cairo, maar ook in de woestijnkloosters van de Wadi Natrun kunt u deze op het spoor komen.

Als u Egypte wilt leren kennen, hebt u tijd nodig; het is onmogelijk alle facetten van dit land tijdens één reis te leren kennen.

Mooie Egyptische in het Dal der Koningen

Zoek vooral contact met de bevolking. De meeste Egyptenaren zijn open, spontane en behulpzame mensen, en er is altijd wel iemand die een mondje Engels spreekt. Ondanks hun armoede zijn de mensen meestal opgewekt. Egyptenaren nemen het leven wat gelijkmoediger op dan wij, en aan hun gastvrijheid zou menig Europeaan een voorbeeld kunnen nemen.

Natuurlijk zijn er opdringerige handelaars, of kerels die vrouwen lastig vallen, maar in het algemeen wordt u als gast behandeld. Van uw kant doet u er goed aan om rekening te houden met de plaatselijke normen, bijvoorbeeld door uw kleding aan te passen, en u niet te veel te ergeren als er eens iets mis loopt.

Egypte en de Nijl – sinds mensenheugenis vormen deze twee een eenheid. De rivier zorgde voor de vruchtbare grond waardoor Egypte tot bloei kwam en een van de oudste beschavingen ter wereld kon voortbrengen. Herodotus, de beroemde Griekse historicus en geograaf, merkte al op dat Egypte een 'geschenk van de Nijl' was, en van het Griekse *aigyptos* is ook de naam van het land afgeleid.

De oude Egyptenaren maakten onderscheid tussen *keme*, de zwarte aarde van de vruchtbare rivieroevers, en *deshret*, het rode gesteente van de omringende woestijn. Hun woongebied was beperkt tot het rivierdal en ook nu nog is de tegenstelling tussen woestijn en dal bepalend voor het karakter van het land.

Egypte heeft een oppervlakte van ruim 1 miljoen vierkante kilometer, maar ongeveer 93 procent daarvan bestaat uit onvruchtbare woestijngrond; de vlakte die overblijft is overvol: 55 miljoen Egyptenaren wonen hier, en er komen er elk jaar zo'n 1,5 miljoen bij.

Van de ontzaglijke economische en sociale problemen waardoor het ontwikkelingsland Egypte geteisterd wordt, is de overbevolking wel het nijpendste. De trek naar de steden gaat onverminderd door, met als gevolg een onstuitbare groei van de sloppenwijken. Groot-Cairo heeft intussen ongeveer 16 miljoen inwoners; alleen

Een boeiend schouwspel: kamelenmarkt in Darau

Geschiedenis in jaartallen

4000 – 3200 v.C.
Bronstijd, Nekadeculturen

3200 – 2780 v.C.
1ste en 2de dynastie, farao Menes
verenigt Neder- en Opper-Egypte,
de hoofdstad wordt Memphis

2780 – 2052 v.C.
Oude Rijk, 3de tot 10de dynastie,
tijd van de piramiden

2052 – 1567 v.C.
Middenrijk, 11de tot 17de dynastie,
Thebe wordt middelpunt van het
rijk, tijdens de 15de en 16de
dynastie invallen van de Hyksos
uit Voor-Azië

1567 – 1085 v.C.
Nieuwe Rijk, 18de tot 20ste
dynastie, periode van culturele
bloei. Egypte wordt een groot-
macht en beheerst Voor-Azië tot
de Eufraat. Farao Achnaton
verlegt de hoofdstad naar Achet-
Aton (Tell el-Amarna) en roept de
zonneschijf Aton uit tot enige god.
Toetanchamon herroept de
beslissingen van zijn voorganger,
herstelt de oude cultus en Thebe
wordt opnieuw hoofdstad.
Ramses II sluit vrede met de
Hettieten; onder zijn opvolgers, de
Ramessiden, raakt het rijk
langzaam in verval

1085 – 715 v.C.
Deling in een noord- en een zuidrijk,
afscheiding buitenlandse gebieds-
delen, 21ste tot 24ste dynastie

715 – 330 v.C.
Egypte wordt een Perzische
provincie. In 332 verovert Alexander de Grote Egypte, 25ste tot
30ste dynastie

330 – 30 v.C.
Griekse tijd, heerschappij der
Ptolemaeën, die eindigt met de
zelfmoord van Cleopatra

30 v.C.– 395 n.C.
Romeinse tijd, Egypte is een
provincie van het Romeinse Rijk

395 – 641
Koptische/Byzantijnse periode

641
Arabisch-islamitische verovering
van Egypte door Amr Ibn el-As
voor de kalief van Mekka

642 – 969
Wisselende islamitische heerschappij. Ibn Tulun verklaart het
land onafhankelijk van Bagdad

969 – 1171
Heerschappij van de Fatimiden;
stichting van El-Qahirah (Cairo)

1171 – 1250
Dynastie van de Ayubiden, Sultan
Saladdin, bouw van de citadel in
de islamitische oude stad van
Cairo

1250 – 1517
Mamelukken-heerschappij,
definitieve overwinning op de
kruisvaarders

1517 – 1798
Egypte is een provincie van het
Ottomaanse Rijk

1798 – 1801 Invasie van Napoleon	**1967** Zesdaagse Oorlog: Egypte verliest de Sinaï aan Israël
1805 – 1848. Mohammed Ali wordt regent, Egypte stelt zich meer open voor Europa	**1970** Dood van Nasser, Anwar el-Sadat wordt president
1848 – 1892 Bouw van het Suezkanaal, Ahmad Orabi rebelleert tegen de groeiende overheersing door Europa	**1973** Oktoberoorlog, Egypte verovert de Israëlische Bar-Lev-linie in de Sinaï
1892 – 1922 Egypte wordt bestuurd als Engels protectoraat (officieel vanaf 1914)	**1979** Ondertekening akkoorden van Camp David
1922 – 1952 De Engelse invloed blijft, maar officieel is Egypte onafhankelijk onder de koningen Fuad en Faruk	**1981** Anwar el-Sadat in Cairo vermoord, zijn opvolger wordt Hosni Mubarak
1954 Gamal Abdel Nasser wordt president; nationalisatie Suezkanaal	**1982** Israël trekt zich volledig terug uit de Sinaï
1956 Suezcrisis: oorlog met Israël, Engeland en Frankrijk	**1993** Begin van Mubaraks derde ambtsperiode

al in de wijken Shubra en Bulaq achter het Ramses-station wonen meer mensen opeengepakt dan in heel Libië of alle Golfstaten bij elkaar.

Het aantal analfabeten ligt maar net onder de 50 procent, ondanks de intensieve bemoeienis van de staat op dit punt. Wel zijn er dertien universiteiten, met ongeveer 800.000 studenten (eenderde daarvan zijn vrouwen), maar het probleem is dat er voor hen onvoldoende arbeidsplaatsen zijn. Afgestudeerden hadden tot voor kort recht op een aanstelling bij het rijk, maar desondanks gingen velen liever naar het buitenland, omdat de lonen daar aanzienlijk hoger liggen.

Ook in de industrie is het aantal banen lang niet toereikend, gezien de enorme bevolkingsexplosie. De belangrijkste takken van industrie zijn de voedingsmiddelen- en de textielindustrie. Daarnaast worden duurzame consumptiegoederen (bijvoorbeeld elektrische apparaten) geproduceerd; het bekendste staalbedrijf bevindt zich in Heluan.

Egypte is een exportland van

Geen ongewoon tafereel: fellah's die hun waterpijp roken

aardolie en aanverwante producten. Ondanks de hardnekkige pogingen om nieuwe arbeidsplaatsen te creëren, werkt het merendeel van de Egyptenaren nog altijd in de landbouw. Verbouwd worden hoofdzakelijk katoen, suikerriet, graan, groente en fruit, maar ook kruiden en bloemen voor de parfumindustrie. De regulering van de waterstand door de stuwdam van Aswan, maar vooral het gunstige klimaat, maken meerdere oogsten per jaar mogelijk.

De zomermaanden zijn heet en droog, in Cairo stijgt het kwik in juli en augustus tot 35 °C; in Aswan bedraagt de temperatuur in dezelfde periode gemiddeld zelfs 40 °C. De winters zijn kort en zacht, in Cairo worden tussen december en maart maar acht regendagen geteld. De Middellandse-Zeekust heeft daarentegen een typisch mediterraan klimaat met regen in de winter, bij temperaturen van ongeveer 15 °C. In Opper-Egypte zijn de winters gemiddeld warm, in Aswan wordt het wel 22 °C. Koud kan het daarentegen worden in de woestijn en in de Sinaï, daar kan de temperatuur 's nachts dalen tot 6 °C.

Ook Cairo kent koele winternachten – hier ligt de gemiddelde nachtelijke temperatuur op 13 °C, terwijl het overdag toch nog vaak 20 °C wordt.

De beste tijd om Egypte te bezoeken ligt tussen november en april, dan zijn vooral in Opper-Egypte de temperaturen voor Europeanen nog het best te verdragen. Maar ook in de zomer komen er steeds meer toeristen: als u goed tegen droge hitte kunt, hebt u de hotels voor het uitzoeken, en de prijzen liggen vaak een stuk lager. In maart en april waait de chamsin, die wel vijftig dagen kan aanhouden, zoals de naam al zegt: *chamsin* betekent in het Arabisch vijftig. Deze bedekt het land met een karakteristiek geel-bruin mengsel van zand en stof.

Van oudsher maken de Egyptenaren onderscheid tussen Opper- en Neder-Egypte. Tot dit laatste behoren de Middellandse-Zeekust, de Nijldelta en het Nijldal stroomopwaarts tot het gebied rond de oude hoofdstad Memphis (tegenwoordig Sakkara); hier begint Opper-Egypte, dat zich uitstrekt tot de Sudanese grens. Rechts en links van de Nijl liggen reusachtige woestijngebieden; in het westen, aan de kant van Libië, vindt u oases, waarvan sommige onder de zeespiegel liggen. Ten oosten van de Nijl rijzen de rotsen van de Arabische woestijn op tot een hoogte van 2000 meter, om vervolgens steil af te lopen naar de Rode Zee.

Het schiereiland Sinaï behoort geografisch gezien tot Azië en grenst aan Israël. Het noorden ervan is een zandwoestijn met spaarzaam begroeide heuvels, terwijl het terrein naar het zuiden toe voortdurend stijgt en overgaat in de rotswoestijn van de Hoge Sinaï, waarvan de Gebel Catharina met 2639 meter de hoogste top is.

Het hete, droge klimaat drukt ook zijn stempel op de vegetatie. Op het platteland ziet u vooral palmen, voor het merendeel dadelpalmen; in de steden worden, behalve de schermacacia's met hun stralend rode bloemtrossen in mei en juni, veel eucalyptus-, mango- en ficussoorten aangeplant.

Waar genoeg water voorhanden is, tiert de mediterrane flora welig. U ziet hibiscus, oleander, bougainville en jasmijn, waarvan de geurige bloemen tot kransen gevlochten op straat verkocht worden, maar ook tamarisken en flamboyanten zult u aantreffen.

De uit de Oudheid bekende lotusbloemen komt u alleen nog maar tegen op oude papyrusbladen, en ook die plant is nagenoeg uitgestorven. In plaats daarvan vindt u langs de oevers van de Nijl en de bevloeiingskanalen bananen- en suikerrietplantages.

Verdwenen zijn ook de krokodillen en de ibissen, maar slangen en schorpioenen zijn er ook vandaag de dag nog. Als huisdieren worden geiten, schapen en kippen gehouden; ezels en paarden dienen als lastdier; ossen en waterbuffels worden in de landbouw als trekdier gebruikt. Het gebruik van kamelen daarentegen neemt steeds meer af, de tijd van de karavanen is voorbij. Toch zijn er ook tegenwoordig nog schilderachtige kamelenmarkten in Imbaba, een wijk in Cairo, en in Darau in Opper-Egypte.

In Egypte wordt Arabisch gesproken, waarbij het standaard-Arabisch gereserveerd blijft voor kranten, televisie en radio en voor officiële redevoeringen. Thuis en op straat spreken Egyptenaren van alle rangen en standen het Egyptisch-Arabische dialect.

Arabisch is ook de taal van de Koran, 93 procent van de Egyptenaren belijdt de sunnitische islam. De christelijke Kopten vormen ongeveer 7 procent van de bevolking. Hoewel er officieel gelijkheid bestaat voor alle geloofsrichtingen, komt het telkens weer tot spanningen tussen moslims en christenen, die versterkt worden door de herleving van het moslim-fundamentalisme. Religie is ook in Egypte uitgegroeid tot een politieke factor van betekenis.

De onopgeloste sociale problemen vormen een voedingsbodem voor extremistische propaganda en zelfs de sinds juni 1990 erkende Egyptische 'groenen', zagen zich genoodzaakt hun programma het motto 'God, mens en milieu' mee te geven.

De toerist zal echter, ook ondanks de bomaanslagen van de laatste tijd, in het algemeen weinig van deze problemen merken. Voor bezoekers blijft Egypte een land dat een ongekend aantal mogelijkheden te bieden heeft.

Van baksjisj tot Ramadan

Kopten en moslims, moskeeën en piramiden:
een korte samenvatting

Alcohol

Egypte is een islamitisch land, en de profeet heeft bedwelmende dranken verboden. Gedronken wordt er natuurlijk toch, maar een goede moslim zal zijn omgeving niet provoceren. U als toerist moet dat ook niet doen. In grote hotels en restaurants is alcohol te krijgen, in veel restaurants met Arabische keuken daarentegen niet. In verschillende gelegenheden wordt binnen wel alcohol geschonken, maar buiten zal dat nooit gebeuren.

Arabisch voor beginners

Standaard-Arabisch is de officiële taal, in de dagelijkse omgang wordt echter dialect gesproken. U kunt best terecht zonder Arabisch te kennen, maar een paar woorden kunnen toch goed van pas komen, vooral in taxi's. Taxichauffeurs spreken vaak geen of heel gebrekkig Engels.

De Nubiërs hebben hun sporen
achtergelaten, zoals in deze kapel bij
Aswan, waarin de kleuren van de zon, de
woestijn en het water terug te vinden zijn

Goedemorgen/goedenavond: *sabach/masa el-kheir*
alstublieft/dank u wel: *minfadlak/ sjukran*
tot ziens: *ma salama*
waar (is)?: *feen?*
straat: *sjaria*
naar het station/vliegveld alstublieft: *illa machatta/mataar minfadlak*
rechts/links: *yamiin/sjimaal*
rechtdoor, rechtstreeks: *ala tuul*
hoeveel kost dat?: *bikam di?*
ja/nee: *aiuwa/lè*
hier/daar: *hina/hunaak*
goed/slecht: *kwais/misch kwais*
wanneer?: *imta?*
geld: *filuus*
akkoord: *masji*
rekening: *hissaab*

Baksjisj

Ook als u geen woord Arabisch kent, één woord begrijpt u beslist: *baksjisj*. Baksjisj, fooi, wordt altijd verwacht, voor de kleinste futiliteiten, soms zelfs voor helemaal niets.

Het begrip baksjisj, dat letterlijk zoiets wil zeggen als: 'deel wat je hebt', heeft in het Oosten al een heel lange geschiedenis. Dat heeft net zo goed te maken met het mohammedaanse gebod om aal-

13

moezen te geven, als met het simpele feit dat met een fooitje hier en een fooitje daar het dagelijks leven heel wat 'gesmeerder' verloopt. Als de staat zo op de salarissen van zijn ambtenaren kan besparen, en deze krijgen wat ze tekort komen terug van de burgers voor wie ze iets kunnen regelen, dan is toch iedereen tevreden? Wie heeft het dan nog over corruptie?

Geef echter niet te veel; voor kleine diensten is LE 1 beslist genoeg, ook als men meer van u verwacht. Geef nooit zomaar geld, maar alleen als mensen echt iets voor u doen.

In restaurants moet u ongeveer 10 procent bovenop het totaalbedrag als fooi geven. Als het hotel vol is of de plaatsen in de trein al bezet zijn, kan baksjisj uw redding zijn. Eerlijkheidshalve dient vermeld te worden dat heel wat ambtenaren en functionarissen steekpenningen ronduit weigeren – u dient met tact te werk te gaan.

Buikdansen

Het buikdansen kent in het land aan de Nijl een eeuwenoude traditie, reeds op grafschilderingen uit de tijd van de farao's zijn danseressen afgebeeld in de karakteristieke poses. Ontstaan uit een dans die vrouwen moest helpen gemakkelijker te bevallen, heeft de 'oriëntaalse dans' zich ontwikkeld tot erotische kunst en vervolgens tot vulgair amusement. Veel danseressen werkten ook als prostituée. Pas in de jaren vijftig werd de buikdans door de bemoeienis van Mahmud Reda, de leider van het nationaal folkloristisch dansgezelschap, minder aanstootgevend.

Buikdanscursussen, zoals die in Europa momenteel in de mode zijn, zijn ook in het tegenwoordige Egypte nog ondenkbaar. De beste buikdanseressen, Suheir Faki, Fifi Abdou en Nadja Fuad, treden in de nachtclubs van de grote hotels op. Vraagt u inlichtingen bij de receptie en vergeet niet een tafeltje te reserveren.

Goede buikdanskostuums zijn in Cairo te krijgen bij: *Haberdashery Shop, 73 Sjaria Muski* bij de *Khan el-Khalili*, waar u ook een kostuum op maat kunt laten maken, *tel.* 927452.

Drugs

Het kan wel eens voorkomen dat u hasj, heroïne of cocaïne krijgt aangeboden – begin er niet aan! Al is hasj bij de wet verboden, toch is het gebruik ervan wijd verbreid. In ieder geval moet u ervoor zorgen niet betrapt te worden, want op het bezit van en de handel in drugs staan zware straffen.

U moet ook op uw hoede zijn met pakjes die Egyptenaren voor hun dierbare familieleden in het buitenland willen meegeven; het is raadzaam de inhoud van die pakje zorgvuldig te inspecteren voor u erin toestemt ze mee te nemen door de douane – als er iets niet in orde is, bent u verantwoordelijk.

Economie

Het ontwikkelingsland Egypte slaagde er noch met het socialistische systeem van Nasser, noch met kapitalistische middelen in zijn problemen de baas te worden. De jaarlijkse bevolkingstoename is zo groot dat elk behaald succes onmiddellijk weer teniet gedaan wordt.

Omdat ook de opbrengsten van

Buikdanseressen treden vooral op in nachtclubs

de export lang niet toereikend zijn, is het land na Israël de grootste ontvanger van Amerikaanse economische hulp geworden. Noch de inkomsten van het Suezkanaal, noch het toerisme, noch het geld dat door de Egyptische gastarbeiders uit het buitenland wordt overgemaakt, kunnen in de enorme behoefte aan deviezen voorzien.

Ook de onderhandelingen met het Internationaal Monetair Fonds verlopen moeizaam: de economisch misschien wel zinvolle eis tot het afschaffen van allerlei subsidies kan veel te gemakkelijk leiden tot een situatie van politieke instabiliteit – de oplossing van dit dilemma is helaas nog lang niet in zicht.

Faraobier

Achnaton, de beroemde farao die de Egyptische godenwereld wilde afschaffen, was zeker niet afkerig van aardse geneugten. Zijn bier-

brouwerij heeft de eeuwen doorstaan. In het voorjaar van 1990 werd ze opgegraven, volledig intact, voorzien van alle hulpmiddelen die in het brouwersvak gebruikt worden. Ook het recept voor 'henket', het bier van de oude Egyptenaren, is bewaard gebleven.

Uit mout, graan en dadels werd de drank gebrouwen waar de farao, zijn vrouw Nefertete en hun hele hof zich aan laafden. Een poging het voorvaderlijke brouwsel na te maken mislukte echter jammerlijk. 'Het spul was niet te drinken', herinnerde zich een van de archeologen die aan het project meegewerkt hadden. Vandaar dat de Egyptische bierkaart nog steeds geen faraobier vermeldt.

Gezondheid

Naast verkoudheid is 'de wraak van de farao' de meest voorkomende toeristenkwaal. Vanwege de tocht die airconditioners kunnen veroorzaken, maar ook vanwege de temperatuurverschillen, is een koutje zo gevat. Diarree voorkomt u door voorzichtig te zijn met wat u eet: geen rauw vlees, alleen goed gewassen fruit, en liever geen rauwkost. In het leidingwater zit veel chloor, maar het is wel drinkbaar.

De hygiëne op veel toiletten zou ook het tegendeel kunnen opwekken: acute verstopping. Ook met het zwemmen in de Nijl moet u oppassen. Als u per se wilt zwemmen, doe dat dan alleen in stromend water, om besmetting met bilharziose te vermijden. Welke zeedieren gevaar opleveren, kunt u te weten komen in de duikscholen.

Het beste middel tegen slangen en schorpioenen is hard stampen met stevige schoenen, zodat de beesten op de vlucht slaan. Als u gebeten bent, moet u onmiddellijk een dokter opzoeken. Bij de apotheken, die tot diep in de nacht geopend zijn, kunt u ook zonder recept elk geneesmiddel kopen.

Herleving van de islam

De sjiitische revolutie in Iran was de aanleiding voor een herbezinning op de traditionele waarden van de islam. De Saudiërs gaven krachtige steun aan deze tendens, omdat de bewaarders van de heilige plaatsen Mekka en Medina zichzelf als de natuurlijke tegenpolen van Khomeini zagen.

Ook sunnitische sjeiks en predikers begonnen de afkeer te propageren van het Westen met zijn materialisme, maar ook van het Oosteuropese socialisme – dit laatste was wegens zijn atheïstische houding nog verwerpelijker. Omdat zowel Nassers socialisme

als Sadats kapitalistische infitah (openings)-politiek aan de ellendige situatie van grote bevolkingsgroepen niets hadden weten te veranderen, is er een voedingsbodem ontstaan voor extremistische gevoelens. Spectaculaire acties zoals de moord op Sadat en de bomaanslagen van de laatste jaren zijn uitzonderingen gebleven die ook door de meeste Egyptenaren worden veroordeeld. Intussen kan de regering niet om de fundamentalisten heen en verschillende wetten van de laatste jaren zouden zonder hun invloed nooit tot stand gekomen zijn.

Hiërogliefen

De hiërogliefen zijn pas in het begin van de 19de eeuw ontcijferd, toen bij Rosetta een steen was gevonden met inscripties in drie talen. Sinds deze ontdekking van de Franse egyptoloog Francois Champollion zijn ongeveer zevenhonderd tekens ontcijferd.

De afbeeldingen stellen een klank of een begrip voor. Religieuze en andere officiële teksten werden met hiërogliefen geschreven; in het dagelijks leven werd een sterk vereenvoudigde vorm gebruikt.

De zogenaamde cartouches, in hiërogliefen geschreven namen van farao's, geplaatst in een ovaal kader, werden door de farao's gebruikt als persoonlijk embleem. Tegenwoordig zijn ze populair als souvenir: in goud of zilver, als broche of manchetknoop, kunt u uw naam in Oudegyptisch schrift mee naar huis nemen.

Honger meebrengen

Bent u uitgenodigd om te komen eten? Mish mishkilla, geen probleem, zoals men hier zegt. Behalve een cadeautje (bloemen, snoep, geen alcohol) is er nog iets dat u niet thuis moet laten: een stevige trek. Uw bord wordt zonder pardon tot de rand toe gevuld en zodra het leeg is, krijgt u onmiddellijk een nieuwe portie. Wilt u dat niet, laat dan een restje op uw bord liggen en laat herhaaldelijk, luid en duidelijk weten dat u geen pap meer kunt zeggen.

Bij Egyptenaren kent de gastvrijheid absoluut geen grenzen, en ze verplicht de gastheer de tafels zo vol te laden dat ze onder het gewicht doorbuigen. Voor veel Egyptenaren betekent dat een behoorlijke financiële aderlating. Het is ook beter pas op een uitnodiging in te gaan als deze drie keer uitgesproken is. Ook is het goed na te gaan of uw gastheer een zo rijk gastmaal als de traditie vereist financieel wel aankan.

IBM in Egypte

Nee, als de inwoners van Cairo het over IBM hebben, dan bedoelen ze niet de computerfirma, maar verwijzen ze naar de mentaliteit van hun landgenoten. IBM staat voor: *insha'allah, bukra en maalesh*, wat respectievelijk wil zeggen: zo God het wil, morgen, wat zou het.

Als de stroom weer eens uitvalt, er geen water uit de kraan komt, de telefoon of de auto het begeeft – maalesh! Bukra, morgen is er weer een dag, insha'allah, als God het wil.

Deze levensfilosofie hangt men in het land aan de Nijl al eeuwen aan, misschien zelfs al millennia; alleen een onwetende en overspannen Europeaan kan zich er nog af en toe danig over opwinden.

Islam

Meer dan 90 procent van de Egyptenaren is aanhanger van de islam, die het dagelijks leven veel sterker beheerst dan een nuchtere Europeaan zich kan voorstellen. Islam betekent overgave aan God, en u krijgt enig idee wat dat inhoudt als u 's morgens om vijf uur al de eerste oproep tot het gebed hoort of meemaakt hoe streng er, ondanks de gloeiende hitte, in de Ramadan gevast wordt.

Het geloof in Allah, aan Mohammed geopenbaard in visioenen die in de Koran staan opgetekend, bracht in de toenmalige bedoeïenenmaatschappij een religieuze en sociale omwenteling teweeg. Het joodse geloof en het christelijke geloof golden als voorlopers, die in de islam hun voltooiing en bekroning hebben gevonden, daarom worden deze godsdiensten – 'die van het boek' – ook getolereerd.

Aan vijf geboden ('zuilen van de islam') dient elke gelovige zich te houden: hij moet geloven in Allah en Mohammed, aalmoezen geven, eenmaal in zijn leven een pelgrimstocht naar Mekka maken, de vijf dagelijkse gebeden zeggen en vasten tijdens de Ramadan.

Het fundament van de islamitische rechtspraak is de *sjaria*, die wordt uitgelegd in vier speciaal opgerichte wetsscholen.

Al vroeg ontstond er een scheuring binnen de nieuwe geloofsrichting: de Shiat Ali, partij van Ali, erkende de drie eerste opvolgers van Mohammed niet – deze 'sjiieten' gaven aan de Koran later ook een meer allegorische uitleg; in tegenstelling tot de meer orthodoxe sunnieten, die onder de moslims de meerderheid vormen.

Gelovigen bij het vrijdagse gebed voor de Hussein-moskee in Cairo

Kopten

Bijna 4 miljoen Egyptenaren (7 procent van de bevolking) zijn Koptische christenen. Deze naam is afgeleid van het Griekse *aigyptos*. De apostel Markus, die in het jaar 68 in Alexandrië de marteldood stierf, bracht het christendom naar de Nijloevers. Alexandrië werd een vooraanstand centrum van het christelijk geloof en er werden tallozekloosters gesticht. Op het Concilie van Calchedon scheidde de Egyptische kerkprovincie zich, op grond van theologische meningsverschillen, af van het Oostromeinse patriarchaat. Vanaf die tijd werd de kerkprovincie geleid door een eigen patriarch; de huidige patriarch is Shenuda III.

Het Koptische Oud-Cairo, met zijn vele kerken binnen de Romeinse vestingmuren, is een bezoek nog altijd meer dan waard. De St.-Markuskathedraal in de wijk Abbassiya bevat het gebeente van de heilige Markus, dat enige tijd geleden door Venetië is teruggegeven. Officieel hebben de Kopten gelijke rechten, maar toch valt er onder hen af en toe angst voor fanatieke moslims te bespeuren.

Mamelukken

Deze afstammelingen van Turkse, en later ook Tsjerkessische slaven die als soldaten dienden, grepen in 1250 de macht in Cairo en regeerden bijna 300 jaar.

De Mamelukken, Arabisch voor 'gekochten', behielden gedurende die periode een vaste greep op de macht. Ze recruteerden hun aanhang op de slavenmarkt. Ze slaagden erin de Mongolen buiten de deur te houden en versloegen de kruisridders. De binnenlandse politiek werd in deze periode bepaald door geweld tegen de uitgebuite bevolking.

Toch heeft Cairo aan de Mamelukken enkele van haar mooiste bouwwerken te danken. Verschillende Mamelukken-sultans hebben voor zichzelf schitterende mausoleums laten bouwen. In 1517 delfden ze het onderspit tegen de Ottomanen, maar ze konden als gouverneurs in Ottomaanse dienst verder regeren.

Mohammed Ali maakte een bloedig einde aan hun heerschappij: hij liet bij een banket in de citadel van Cairo alle Mamelukse kopstukken vermoorden en voerde vanaf dat moment de alleenheerschappij.

Moskee

Praktizerende moslims bezoeken hun bedehuizen vijf keer per dag: de mannen gaan naar de grote hal, terwijl de vrouwen in een afzonderlijke ruimte bijeenkomen. Ze komen hier echter niet alleen om te bidden: een moskee fungeert ook als ontmoetingsruimte voor de gemeenschap, en ook zijn aan veel moskeeën Koranscholen verbonden. Bovendien is een moskee ook altijd een plaats voor meditatie en ziet u vaak gelovigen die rustig in een hoekje verdiept zijn in de studie van de Koran.

Vanwege het islamitische verbod op afbeeldingen ontwikkelde zich de kunst om wanden en plafonds met tegels, stucwerk, houtsnijwerk en schitterend gekalligrafeerde verzen uit de Koran te decoreren. In elke moskee treft u de *mihrab* aan, een nis in de op Mekka georiënteerde muur, en de *minbar*, de lessenaar die bestemd is voor de prediking.

Op de binnenplaats bevindt zich een fontein voor rituele wassingen en de meeste moskeeën beschikken over ten minste één minaret, vanwaar de moëddzin oproept tot het gebed.

Qua bouwstijl zijn er bij de moskeeën drie hoofdtypes te onderscheiden, waarvan de hallenmoskee en de op de Ottomaanse stijl geïnspireerde koepelmoskee de interessantste zijn. In Cairo vindt u moskeeën in alle bouwstijlen – van de eenvoudige, maar daardoor juist indrukwekkende Ibn-Tulun-moskee en de vestingachtige El-Hakim-moskee tot de in Turkse stijl gebouwde Albasten Moskee op de citadel.

Wie een moskee bezoekt moet zijn schoenen uittrekken; vaak zijn er pantoffels beschikbaar. Tijdens de gebedsdiensten wordt bezoek niet erg op prijs gesteld. Het spreekt vanzelf dat u de gelovigen niet moet provoceren, bijvoorbeeld door ongepaste kleding.

Muziek

In westerse oren klinkt Arabische muziek vaak eigenaardig en monotoon. Gewend als we zijn aan onze grote en kleine tertsen, is het enthousiasme dat de Arabieren voor deze muziek, met haar voortdurende herhalingen, aan de dag leggen voor ons maar moeilijk te vatten.

Voortkomend uit een oeroude muziektraditie, beïnvloedde de Arabische muziek ook de Europese – luistert u maar eens ter vergelijking naar Europese melodieën uit de Middeleeuwen. Het verschijnsel troubadour heeft zijn wortels in de Arabische traditie – *el-tarab* is Arabisch voor muzikaal genot.

De Arabieren hebben, net als wij, hun eigen tophits, volksmuziek en klassieke muziek. Een van de belangrijkste moderne componisten was de Egyptenaar Sayed Darwish; de in 1975 gestorven zangeres Um Kalthum bereikte met

Albasten Moskee in Cairo

haar uitzendingen via Radio Cairo de hele Arabische wereld. De al bijna even bekende Droesische zanger Farid el-Atrash, die eveneens in Cairo werkzaam was, wist met melancholieke liefdesliedjes de harten van zijn toehoorders voor zich te winnen.

Als u een keer in Aswan komt, koopt u dan eens een cassette van Ali Kubban – Nubische volksmuziek, heerlijk om naar te luisteren als u, gezeten in een felouk, de Nijloevers aan u voorbij laat glijden.

Nubiërs

Een oeroud volk op de grens tussen zwart Afrika en het Arabische noorden. Voor de farao's was Nubië een goudmijn, het moest belasting betalen en slaven en soldaten leveren. Het noordelijk deel van Nubië werd bij het Egyptische rijk gevoegd, maar de gouverneurs die er werden aangesteld, gingen steeds eigenmachtiger optreden en stichtten het koninkrijk Kush, dat zich in de loop der eeuwen steeds meer op het zuiden ging oriënteren.

De genadeloze uitbuiting van het land wreekte zich op den duur: de Nubiërs sloten een verbond met de Hyksos tegen de farao's. Pas met het verval van het Nieuwe Rijk werd Nubië onafhankelijk.

Tegenwoordig zijn de Nubiërs te vinden in de streek rond Aswan. Door het stuwmeer kwam hun oorspronkelijke woongebied onder water te staan. Ze kregen nieuwe woonplaatsen aangeboden bij Kom Ombo, maar velen gaven de voorkeur aan Wadi Halfa in Sudan. Verder leven ze van het toerisme in Opper-Egypte, of ze hebben hun heil gezocht in Cairo, waar velen een baan als portier (buab) in particuliere woonhuizen hebben gevonden.

Oudegyptische goden

De kunst en architectuur van het oude Egypte zijn niet los te denken van de godsdienst die eraan ten grondslag ligt. De toenmalige godenwereld omvatte meer dan honderdvijftig goden. Het oudst is de cultus rond de zonnegod Ra, later werd zijn plaats ingenomen door de goden van de hoofdsteden Memphis en Thebe, respectievelijk Ptah en Amon.

De farao Achnaton bracht een revolutie in het Egyptische pantheon teweeg door de zonneschijf Aton tot enige God uit te roepen. Beroemd is de legende van Osiris, god van de wedergeboorte, die door zijn broer Seth gedood en in stukken gehakt werd. Isis, zuster en echtgenote van Osiris, bracht de delen weer bijeen en wekte het lichaam weer op uit de dood.

Het geloof in een wedergeboorte of verrijzenis kreeg gestalte in een mythe die over het hele Middellandse-Zeegebied werd verspreid en die ook latere godsdiensten heeft beïnvloed. Ook het scheppingsverhaal komt in gewijzigde vorm terug in andere mythen: op een oerheuvel die zich uit het water verhief, ontstond al het levende, ook de zon steeg eruit op – een beeld dat tot de bouw van de Aswandam elk jaar opnieuw werkelijkheid werd.

De farao's zelf golden als incarnaties van de valkengod Horus, en zij leefden na hun dood in het hiernamaals in vrede voort.

De verering van heilige dieren is al heel oud: de cultus rond de Apis-stier in Memphis is er het bewijs van. De scarabee, een kever, werd als amulet gedragen en was een symbool van de onsterfelijkheid. Ook veel goden hadden de gestalte of tenminste de kop van een dier: Thot kreeg de gedaante van een ibis, de moedergodin Hathor werd vaak als koe afgebeeld, de godin Bastet als kat. Voor deze op het hiernamaals gerichte religie was de dood enkel een overgangsfase. De mummie werd door de dodengod Anubis het hiernamaals binnengeleid, zoals dat in heilige teksten (dodenboeken) stond beschreven. Het was belangrijk reeds in dit leven voorzorgsmaatregelen te nemen voor de tijd erna: er moest een grafmonument komen, voorzien van alles wat het leven ook hier veraangenaamt.

Piramiden

Dat de piramiden door slaven gebouwd zouden zijn, blijkt een hardnekkig misverstand te zijn, dat door Herodotus in de wereld is gebracht. Het ligt meer voor de hand dat gedurende de drie maanden per jaar dat de akkers door de Nijl overstroomd waren, de boeren werk vonden in de piramidenbouw.

Toch was de bouw van de monumenten niet alleen een vorm van werkverschaffing van staatswege. Het godsdienstige motief stond voorop: de piramiden dienden als graf voor de farao, de godkoning. Na zijn lichamelijk overlijden leefde hij als god voort in het hiernamaals, bemiddelend tussen goden en mensen.

Daarnaast hadden de piramiden ook een symbolisch karakter – ze stonden voor de oerheuvel, waar alle leven zich uit heeft ontwikkeld. Op bestuurlijk niveau leidde de bouw van de piramiden tot het ontstaan van een goed functionerend staatsapparaat; het leiden van de gigantische staatsbouwonderneming vereiste een strakke organisatorische en logistieke planning over meerdere jaren. Deze enorme opgave was zonder een gespecialiseerde ambtenarij en de bijbehorende bureaucratie ondenkbaar.

De geleverde technische prestatie spreekt ook nu nog zeer tot de verbeelding. Het precies invoegen van de tonnen zware steenblokken, aangevoerd met sledes en hellingbanen, het op de millimeter nauwkeurig aanbrengen van de steenlagen, de uiterste precisie in de berekening van de statische eigenschappen en de hellingshoek, en dat alles met uiterst primitieve hulpmiddelen – de piramiden worden niet ten onrechte beschouwd als een van de zeven wereldwonderen.

Egypte telt 97 piramiden. De oudste is de trappiramide van Sakkara, waarvan de mastaba (grafmonument in de vorm van een langwerpig trapezium) en de getrapte mastaba de architectonische voorbeelden zijn. De architect heette Imhotep, was niet alleen bouwmeester, maar ook geneeskundige, priester en geleerde, en genoot na zijn dood goddelijke verering.

Slechts twee eeuwen duurde het voordat uit de getrapte vorm de klassieke piramide ontstond met de gladde zijden en constante hellingshoek. Met de piramiden van Gizeh bereikte deze ontwikkeling haar hoogtepunt – en tevens haar eindpunt.

Politiek stelsel

De Arabische Republiek Egypte, zoals de officiële naam van het land luidt, kent een meerpartijenstelsel, een parlement met twee kamers en een president als hoofd van de uitvoerende macht.

De regeringspartij is de door Sadat in 1978 opgerichte socialistisch getinte Nationaal-Democratische Partij; deze is lid van de Socialistische Internationale en beschikt tevens over de absolute meerderheid in het parlement. De ambtstermijn van de president bedraagt zes jaar; hij wordt gekozen bij referendum.

Het Egyptische Lagerhuis telt 434 leden, die voor vijf jaar worden gekozen; de *Shura*, met 270 afgevaardigden, werd in 1980 toegevoegd. Hiervan worden 140 leden gekozen, de rest wordt door de president benoemd.

De belangrijkste oppositiepartijen zijn de Nieuwe Wafd (centrumrechts), de Socialistische Arbeiderspartij en de links-Nasseristische Tagammu. Verder zijn er de liberalen en, niet te vergeten, de Moslim-Broederschap, die tot 1990 37 zetels in het parlement had. Wegens de in 1981 uitgeroepen staat van beleg heeft bijna de voltallige oppositie de verkiezingen van november 1990 geboycot, met voorspelbare gevolgen: 348 zetels voor de NDP en zes voor Tagammu; naast 83 'onafhankelijke' afgevaardigden traden er nog tien door Mubarak aangewezen leden toe tot het parlement.

Ramadan

Iedere gelovige moslim heeft de plicht in de Ramadan te vasten. Van zonsopgang tot zonsondergang mag geen enkele spijs of drank genuttigd worden en is seks verboden, net als roken. Het avondmaal, *iftar*, is des te overvloediger en boze tongen beweren dat er nooit zo veel gegeten wordt als tijdens de Ramadan.

Respecteer de religieuze zeden, geef geen aanstoot door (overdag) in het openbaar te eten of te drinken. De restaurants serveren in deze periode alleen binnen, pas 's avonds kunt u weer buiten zitten. Het openbare leven verloopt traag, de meeste winkels zijn tussen 15.00 en 17.00 uur gesloten. Van de vroege namiddag tot 's avonds maakt de miljoenenstad Cairo een uitgestorven indruk.

's Avonds wordt de schade weer ruimschoots ingehaald. De Ramadan is een tijd van feesten, die tot diep in de nacht worden voortgezet. In de late avonduren kunt u voor de Sawidna-Hussein-moskee in Cairo van dichtbij meemaken hoe de Egyptenaren feesten.

Na 30 dagen eindigt de vastenmaand met de driedaagse *Id al fitr*, het slotfeest, dat ook Kleine Bayram wordt genoemd. Op deze dagen zijn openbare gebouwen, banken en ambassades gesloten. De Ramadan duurt een maand en begint in 1997 op 10 januari.

Sa'idi

In Egypte doen ontelbare, meestal niet erg leuke moppen de ronde over de *Sa'idi*, de bewoners van Opper-Egypte, die in de streek tussen Minia en Luxor bewonen. Volgens de verhalen, zijn de Sa'idi zonder uitzondering dom, lomp en uiterst primitief. Om bij een gezelschap Egyptenaren de stemming erin te krijgen, hoef je alleen maar te beginnen met: 'Er kwam een Sa'idi naar Cairo...', en het hele gezelschap begint al te grijnzen.

Of er misschien een kern van

waarheid in deze grappen schuilt? In ieder land lijkt het gebruikelijk om een bepaald deel van de bevolking als dommer dan de rest af te schilderen. Op feiten is dit echter zelden of nooit gebaseerd.

Vervoer

De goedkoopste vorm van vervoer is de bus, maar voor toeristen komen taxi's meestal eerder in aanmerking, omdat ze veel comfortabeler zijn. Groepstaxi's moet u alleen in noodgevallen gebruiken, want deze veroorzaken vaak ongelukken.

Een taxi nemen is niet moeilijk in Egypte, maar aan enkele regels moet u zich wel houden om te voorkomen dat u het vel over de oren wordt gehaald: ga langs de kant van de weg staan, steek uw rechter arm op en roep de taxichauffeur uw bestemming toe – liefst in het Arabisch. Als hij stopt, stapt u in zonder over de prijs te gaan discussiëren. Als u daaraan begint, hebt u bij voorbaat al verloren.

Bij uw bestemming aangekomen, stapt u uit en overhandigt de chauffeur zonder verder commentaar door het zijraampje de ritprijs en gaat weg. Ook als hij begint te mopperen, reageert u daar niet meer op.

Normale taxiprijzen in Cairo: tussen LE 2 en 3 in de binnenstad, naar de piramiden LE 10 vanaf het centrum.

Vrouwen in Egypte

Het leven van de meeste Egyptische vrouwen wordt nog altijd bepaald door godsdienst en traditie. Wel neemt het aantal studentes en werkende vrouwen nog voortdurend toe, en zijn steeds meer vrouwen actief in het zakenleven, de overheid en de politiek. In Cairo ziet u veel westers geklede vrouwen en ook paartjes die hand in hand lopen, maar aan de morele normen is nog maar weinig veranderd.

Meisjes moeten nog altijd maagd zijn als ze gaan trouwen; geen wonder dat de mannen hun geluk beproeven bij Europese vrouwen, die de reputatie hebben dat ze gemakkelijk mee te krijgen zijn. Deze 'versierpogingen' kunnen behoorlijk lastig zijn, u doet er goed aan ze op geen enkele manier uit te lokken. Draag dus bij voorkeur geen minirokken, strakke of laag uitgesneden T-shirts of korte broeken.

Voor het geval een man echt lastig wordt: *emshi!* betekent 'donder op!', en dat werkt meestal wel. In taxi's gaat een vrouw achterin zitten; wanneer u voorin plaatsneemt, kan dat door de chauffeur als een uitnodiging worden opgevat.

Vuilnisafvoer met de ezelwagen

In Cairo worden de afvalbergen almaar groter, dat ziet iedereen die een beetje langer door de stad loopt. Niet iedereen weet hoe het vuilnis hier wordt opgehaald: de *zabbalin,* de vuilnismensen, doen dat met hun ezelkarretjes. Kinderen en ook volwassenen stropen de straten af en verzamelen het vuilnis. In de 'afvalstad', een reusachtig terrein in het zuiden van Cairo, wordt het gesorteerd. Bruikbare spullen worden opgekocht door handelaars, eetbare waar dient als voer voor de varkens en de rest van het afval wordt verbrand.

Platte broden op elk uur van de dag

In restaurants krijgt u het hele assortiment oosterse voorgerechten in allerlei schaaltjes opgedist

Eten

Aish betekent leven, en aish is ook de naam van de Egyptische platte broden, die voor velen de enige maaltijd betekenen die ze zich op een dag kunnen veroorloven. Hoe belangrijk de broden voor de grote meerderheid van de bevolking zijn, ondervond ook president Sadat toen hij de door de staat gesubsidieerde prijs van 1 piaster bij decreet wilde verdubbelen. Op 18 januari 1977 begon er een volksopstand, en de prijsverhoging was weer snel van de baan.

In restaurants wordt aish vaak als bijgerecht geserveerd. Extra gezond is *aish baladi*, gemaakt van donkerder en grover meel, dat net als rijst en suiker, alleen tegen inlevering van bonnen in staatswinkels verkocht wordt. De gewone broden zijn daarentegen op elke straathoek te koop.

Het Egyptische nationale gerecht heet foul; dat zijn dikke bruine bonen, gekruid met citroen. Deze worden vaak al bij het ontbijt ge-geten. Foul wordt in allerlei variaties opgediend – met groente of salades, in platte broden 'verpakt' – in gaarkeukens en eenvoudige restaurants. Daar vindt u ook *taamiya*: met salade en *felafel* (gehakt van gepureerde bonen) gevulde broden – een lekker hapje tussendoor, bijvoorbeeld als u in de bazaar aan het neuzen bent. *Fetir* hoort daar ook bij: bladerdeeg met pikante of zoete vulling. In restaurants ontdekt u een heel assortiment oosterse voorgerechten, de *mezze*: kleine, koude gerechten, die in een groot aantal schaaltjes worden opgediend. Om er een paar te noemen: *tabbouleh*, een salade van peterselie en tarwegries, zuur aangemaakt en heel verfrissend; *baba ghannousj*, een puree van aubergine met veel knoflook; *labna*, lijkt op tzaziki, maar wordt met veel verse munt gekruid; *kibbeh*, gefrituurde balletjes van lamsgehakt en tarwegries; *basterma*, gedroogd en gerookt vlees; *sambousek*, met groente gevulde deegbuideltjes; *hummus bi tahina*, kikkererwtenpuree met sesampasta; *wara anab*, gevulde wijnbladeren of *betingan*, ingelegde aubergineschijven.

Als u in de bazaar wilt slagen, moet u kunnen afdingen

In de voetsporen van Marco Polo

Marco Polo was de eerste wereldreiziger. Hij reisde met vreedzame bedoelingen en bracht Oost en West nader tot elkaar. Hij wilde de wereld ontdekken, vreemde culturen leren kennen en in hun waarde laten. Hij zou ons, reizigers uit de 20ste eeuw, tot voorbeeld moeten zijn. Laten wij openstaan voor andere volken en respect tonen, zowel voor mens en dier als voor het milieu.

Terwijl de genoemde gerechten in het hele Nabije Oosten ongeveer op dezelfde manier worden bereid, is *moulouhiya*, spinaziesoep, een typisch Egyptisch voorgerecht. *Kusjari*, eveneens typisch Egyptisch, bestaat uit rijst, linzen en pasta; met een lik tomatensaus erop wordt het in gaarkeukens opgediend, maar ook in eenvoudige restaurants zult u dit gerecht meer dan eens op de menukaart aantreffen.

Als hoofdgerecht volgt dan ofwel *hamam* (duif), gevuld met groene tarwekorrels of rijst, het intussen ook bij ons bekende *sjisj kebab* of *kufta*, gegrild schapengehakt, misschien vergezeld van *pilav*, rijst met groente en/of noten. Het Turkse *döner kebab* heet hier *sjawarma* en is zeer geliefd, net als de Griekse moussaka, die hier *mussa'a* heet. Daarnaast is er kip (*farah*) en vis (*samak*) in allerlei variaties. Langs de kust, vooral in Alexandrië, moet u *gambari*, de beroemde reuzengarnalen in knoflooksaus, maar eens proberen, een traktatie voor lekkerbekken.

Wie dan nog niet genoeg heeft, kan aan de desserts beginnen, die zonder uitzondering mierzoet en zeer calorierijk zijn, zoals *um ali*, rijstevlaai met room en noten, *aish es serail*, in suikerstroop geweekte honingkoek met room, en natuurlijk het bekende *baklava*, bla-

derdeeg met notenvulling, eventueel nog gearomatiseerd met honingsaus en extract van sinaasappelbloesems. *Kufna* is hier geen uitzondering. Ook dit is een zoet dessert: deegsliertjes worden met suiker, honing en noten gebakken en in stukjes gesneden geserveerd.

Drinken

Bij het eten wordt traditioneel water gedronken, daarna thee, die zwart (*shai*) of met pepermuntbladeren (*shai nana*) wordt geschonken. Het mag echter ook een *ahwa turkiya* (Turkse koffie) zijn, die in kleine kopjes wordt geserveerd. Als u er *masbout* bij zegt, dan wordt hij niet te zoet en niet te bitter gemaakt. Op die manier is hij ook voor toeristen uit het Westen uitstekend te drinken. Een specialiteit van Opper-Egypte is *kardakeh*, thee van hibiscusbloesems. Vruchtesap wordt van alle mogelijke vruchten bereid: mango-, guave-, bananen-, sinaasappel- en citroensap van goede kwaliteit is overal te krijgen; evenals *tamarhindi*, een aftreksel van het gedroogde vruchtvlees van de tamarinde, of *assir kassab*, suikerrietsap. Dit laatste wordt, net als *irssous*, dropwater, vaak op straat verkocht. De straatverkoper draagt een groot reservoir op zijn buik, de glazen heeft hij in een bakje aan een riem rond zijn middel hangen.

Alcoholhoudende dranken zijn verkrijgbaar in de grote hotels en in goede restaurants; de geïmporteerde soorten zijn meteen wat duurder. Stella Local, het lokale bier, wordt in grote flessen verkocht, Stella Export, iets zoeter van smaak, in kleine flesjes. Egyptische wijnen zijn wisselend van kwaliteit. De bekendste zijn Rubis d'Egypte (rosé), Omar Khawam (rood), Cru des Ptolemées (witte wijn) en Gianaclis (eveneens een witte wijn).

Arak, de anijsdrank die hier graag wordt gedronken, heet in Egypte *zibab* en wordt bij de *mezze* gedronken en met water verdund, net als Pernod en andere anijsdranken. Het Egyptische mineraalwater heet *Baraka*, net als Vittel of Evian bevat het geen koolzuur.

Traditioneel wordt een etentje in Egypte afgesloten met het doorgeven van de waterpijp, die hier *sjisja* wordt genoemd.

Egyptische specialiteiten: gevarieerde oosterse voorgerechten met verse kruiden van de markt

Goud, zilver, koper en brons

In de bazaars wordt gehandeld in sieraden, leer en specerijen

Als u besluit in een bazaar te gaan neuzen, wordt het winkelen een belevenis. Want dit is de Oriënt, die nog altijd herinneringen oproept aan duizend-en-één nacht en waar ondanks moderne trekjes de middeleeuwse kern van de islamitische stad nog te zien is.

In de steden van de Oriënt waren de bazaar en de moskee de centra waar alle bedrijvigheid plaatsvond, maar waar ook politiek bedreven werd. De sfeer daarvan kunt u ook nu nog proeven in dit doolhof van smalle steegjes, die soms wel een beetje duister zijn, maar altijd bont, rumoerig, vol geuren en vol leven en waar de winkeltjes elkaar bijna verdringen. Daartussen bevinden zich dan nog een moskee, theehuizen, een gaarkeuken en natuurlijk de werkplaatsen waar de ambachtslieden aan het werk zijn.

Slentert u maar eens door de souks (marktstraatjes) van de goud-, zilver- en kopersmeden, door de stegen van de handelaars in stoffen en neust u eens rond in de kruidenbazaar of de steeg van de parfummakers met hun eigenaardige, exotische luchtjes. De oorspronkelijke opdeling van de bazaar naar producten is enigszins verwaterd, ook hier heeft het massatoerisme zijn tol geëist.

Vaak is het aanbod al erg op toeristen afgestemd, in het bijzonder is dat het geval in de Khan el-Khalili, Egyptes grootste bazaar in het hart van de oude islamitische stadskern van Cairo. Deze bazaar heeft een 'afdeling' met dure souvenirs naar de smaak van de westerse toeristen – aangevuld met massa's prullaria. En toch: ook hier komt u af en toe mooie dingen tegen en de Egyptenaren zelf kopen hier naar hartelust.

Wat u ook koopt – om handelen is het in de bazaar begonnen, en hoe beter u kunt afdingen, des te meer zal men u respecteren. De belangrijkste regel: wacht tot de verkoper met een prijs komt, en bied dan hoogstens de helft, dan zult u waarschijnlijk ergens daartussenin uitkomen. En vergelijk de prijzen voor u uw slag slaat; een bazaar is nog altijd de plek waar de handelaars elkaar beconcurreren – de markteconomie in zijn zuiverste vorm.

Souvenirs in de bazaar

Goha en zijn spijker

Volgens Egyptische beleefdheidsnormen mag u niet rechtstreeks en duidelijk zeggen wat u van iemand vindt. Maar als iemand u de 'spijker van Goha' noemt, kunt u ervan uitgaan dat u hem behoorlijk op de zenuwen werkt. Over Goha, een soort volksheld die te vergelijken is met Tijl Uilenspiegel, doen ontelbare verhalen de ronde. Een van die verhalen gaat als volgt: op zekere dag had Goha geld nodig en hij verhuurde zijn kamer, echter op één voorwaarde: dat hij de ene spijker die in de muur zat, mocht blijven gebruiken. De huurder trok nietsvermoedend in de kamer, en Goha kwam elke vijf minuten binnen om zijn hemd, zijn broek of andere zaken aan de spijker te hangen of eraf te halen. Of de huurder gillend het huis uitgerend is, vermeldt de geschiedenis verder niet.

Het is goed u te laten vergezellen door een Egyptenaar; als buitenlander bent u per definitie steenrijk, en ze zullen bij u de vraagprijs vaak veel hoger inzetten dan bij landgenoten. Bij heel lage prijzen kunt u overigens beter niet afdingen, behalve wanneer u meerdere artikelen tegelijk koopt, dan is korting normaal.

Buiten de bazaar en in alle winkels waar de artikelen geprijsd zijn, kunt u niet 'pingelen', en het geldt als onbeleefd het toch te proberen.

Artikelen van koper en brons, vaak bijzonder fijn bewerkt, zijn in trek als souvenir; het hoge peil van het Egyptische kunstambacht heeft zich tot op heden kunnen handhaven. Vooral van de grote koperen bladen zijn er nog altijd oude, waardevolle exemplaren op de markt, te herkennen aan hun eenvoudige decoratie – nieuwe exemplaren zijn meestal overdadig versierd.

Een tip: laat ter plaatse een bijpassend tafeltje maken van *mashrabiya*, het beroemde Egyptische houten traliewerk, dat kunstig met de hand wordt uitgesneden en vroe-

ger zelfs aan gevels en in raamkozijnen werd toegepast. Veel vraag is er naar zilveren armbanden, die tegenwoordig naar oude voorbeelden worden vervaardigd – werkelijk oud zijn ze bijna nooit. Voor zilveren en gouden sieraden geldt: de prijs hangt af van het gewicht en de goud- of zilverkoers, de 'afdingmarge' is hier niet zo groot als bij andere artikelen.

Naar leer is ook heel veel vraag, het is echter wisselend van kwaliteit. Ook hier zijn de betere zaken niet goedkoop, maar u krijgt er wel waar voor uw geld. Ook kruiden worden als souvenir verkocht, saffraan en kardemom zijn hier veel goedkoper en beter van kwaliteit dan thuis in de supermarkt. Albastprodukten kosten in Luxor minder dan in Cairo, omdat ze daar gemaakt worden.

Bij papyrussen, de in oude stijl vervaardigde schilderingen op papyrus, die de grens van het kitscherige vaak overschrijden, moet u zeker de prijzen vergelijken: in uw hotel zijn ze ongetwijfeld te duur. Originele vondsten uit de faraotijd komen heel zelden in de handel en dan alleen tegen buitensporig hoge prijzen. Om deze producten uit te voeren hebt u een vergunning nodig, waar de verkoper voor moet zorgen. Ook moet deze zelf beschikken over een vergunning om antiquiteiten te verkopen, vraag ernaar voor u iets koopt. De 'gegarandeerd echte' godenfiguren die gewiekste handelaren en straatjongens u op de desbetreffende plaatsen, bij graven en tempels, aanbieden, zijn zonder uitzondering kopieën. Grafrovers en, in een later stadium, museumconservatoren hebben weinig originele stukken op hun plaats gelaten.

Op vrijdag en zeker op zondag doen veel winkeliers hun zaak op slot, en ook op veel nationale of religieuze feestdagen blijft meni-ge deur in de souks gesloten. Dat geldt ook voor 'gewone' winkels buiten de bazaars. Op de overige dagen gaan de winkels om 9.00 uur open; in de bazaar komt het leven echter pas tegen 10.00 uur echt op gang. Sluitingstijd is tussen 19.00 en 20.00 uur, maar de bazaari's houden het vaak nog wel langer vol. Ook apotheken en verscheidene supermarkten zijn nog na 21.00 uur geopend.

Wie vooral naar de bazaar gaat om er de sfeer te proeven, kan het beste na zonsondergang gaan, vooral in de lange nachten van de Ramadan kunt u er, als u de moeite neemt even verder te kijken dan het toeristische souvenirgedoe, waarlijk unieke taferelen meemaken.

Egyptenaren leren hun ambachten van jongs af aan. Hier een albasten vaas, zoals u in elke bazaar kunt kopen

1001 Nacht

Processies in de stijl van de farao's en volksfeesten rond
de moskeeën

OFFICIËLE FEESTDAGEN

1 januari en 2 februari: *dag van de
vakbond*
25 april: *bevrijding van de Sinaï*
1 mei: *dag van de arbeid*
18 juni: *vertrek van de Britse troepen*
23 juli: *dag van de revolutie van 1952*
6 oktober: *oversteek van het Suezkanaal,
begin van de Oktoberoorlog van 1973*
24 oktober en 23 december: *dag
van de overwinning*

RELIGIEUZE FEESTDAGEN

9-11 februari 1997: Id el-Fitr, drie
feestdagen ter afsluiting van de
vastenmaand Ramadan
18 april 1997: Id el-Adha, het
offerfeest.
8 mei 1997: islamitisch nieuw-

Kameelruiters bidden overal

jaarsfeest. Daarnaast zijn er de
mulids, waarbij plaatselijke heili-
gen vereerd worden: beroemd is
de ★ mulid van Abu el Haggag in
Luxor op 14 Sjaaban (22 december 1996/11 december 1997). In
een processie wordt een boot
door de straten gedragen – precies zoals in de tijd van de farao's
bij het feest van de godin Opet.
Een echt volksfeest op het plein
voor de moskeeën is de ★ mulid
el-Nabi (geboortedag van de profeet) op 12 Rabi'el-Awal (19 juli
1997). Er worden speciale zoetigheden bereid en rond de moskeeën Sayyidna Hussein en Sayyi-
da Zeinab in Cairo is het een
drukte van belang. Bijzonder is
de mulid *Hussein* in Cairo: voor de
Sayyidna-Hussein-moskee dansen
sufi's en derwisjen zich in trance,
29 Rabi'el-Thani (8 september
1996/29 augustus 1997).

MARCO POLO-TIPS: EVENEMENTEN

1 Mulid Abu el Haggag
Deze feestelijke processie in
Luxor plaatst u terug in de tijd
van de farao's (bladzijde 33)

2 Mulid el-Nabi
De 'verjaardag van de profeet'
wordt uitbundig gevierd
(bladzijde 33)

Umm el-Dunya – moeder van de wereld

Zo noemen de Egyptenaren hun land en ook hun hoofdstad

Een geschiedenis van duizenden jaren heeft een onmiskenbaar stempel op Cairo gedrukt. Ten westen van de Nijl liggen de piramiden uit de faraotijd; in het Koptische Oud-Cairo ten oosten van de rivier, omsloten door de vroegere Romeinse vesting Babylon, staan enkele van de oudste

Moskee van Ibn Tulun –
de op een na oudste moskee van Cairo,
gebouwd tussen 876 en 879

christelijke kerken. Fatimidische kaliefs en Mamelukken-sultans hebben een fascinerende middeleeuwse stad nagelaten, die bekroond wordt door de 12de-eeuwse citadel van Salah el-Din, die door Europeanen Saladdin wordt genoemd.

Cairo is tevens het hart van de Arabische wereld, het politieke en culturele centrum van het Nabije Oosten.

Wie Cairo werkelijk wil leren

Prijzen van hotels en restaurants

Hotels
categorie 1: vanaf Hfl. 120/Bfr. 2200
categorie 2: van Hfl. 40/Bfr. 700. tot Hfl.120/Bfr. 2200.
categorie 3: tot Hfl. 40/Bfr. 700.
Deze prijzen gelden voor één persoon op een tweepersoonskamer met ontbijt.

Restaurants
categorie 1: vanaf Hfl. 40/Bfr. 700.
categorie 2: vanaf Hfl. 20/Bfr. 350 tot Hfl. 40/Bfr. 700.
categorie 3: tot Hfl. 20/Bfr. 350.

Deze prijzen gelden voor een maaltijd met voor-, hoofd- en nagerecht inclusief alcohol, voorzover die geserveerd wordt. Alle hotels/restaurants/cafés die hier worden aanbevolen kunnen ook door vrouwen alleen bezocht worden.

kennen, heeft daarvoor weken, zo niet maanden nodig. De reusachtige metropool aan de Nijl telt inmiddels 16 miljoen inwoners en is niet alleen de grootste stad van Egypte, maar van heel Afrika, een stad die pulseert van leven, lawaai en chaos, een stad van contrasten, stoffig en benauwd, maar adembenemend mooi.

De krankzinnige verkeerschaos, die nieuwe bezoekers nachtmerries kan bezorgen, is de laatste jaren sterk verminderd. Maar nog altijd persen massa's auto's zich onder aanhoudend getoeter door de chronisch verstopte straten en puilen de bussen en trams letterlijk uit van de mensen. In het ge-

drang mengen zich ook nog ezelen paardekarren, volgeladen met fruit, groente of afval, krantenverkopende straatjongens, luid schreeuwende straatventers en dappere voetgangers die springend en rennend elke opening tussen de voertuigen benutten om aan de overkant van de straat te komen. Kuddes schapen en geiten maken de chaos compleet. Luxehotels liggen naast sloppenwijken, dure boetiks met westerse mode naast eeuwenoude souks. Van de moderne drukke city is het maar een paar kilometer tot de eerbiedwaardige El-Azhar, de oudste universiteit van de islam in het hart van de middel-

MARCO POLO-TIPS: CAIRO

1 Piramiden van Gizeh
Wie deze niet gezien heeft, is niet in Egypte geweest (bladzijde 39)

2 Egyptisch Museum
Een 'must' voor iedereen die zich voor Oudegyptische kunst, goden en geschiedenis interesseert (bladzijde 42)

3 Islamitische oude stad
Albasten Moskee, El-Azhar, El-Hakim-moskee, Sultan-Hassan-moskee, stadspoorten, citadels en een authentiek oosterse atmosfeer (bladzijde 37-42)

4 Koptisch Museum en Koptische wijk
Getuigenissen van een eeuwenoude christelijke cultuur in de oude vesting Babylon (bladzijde 42, 38)

5 Islamitisch Museum
Een unieke verzameling islamitische kunst van alle perioden en stijlrichtingen (bladzijde 42)

6 Ibn-Tulun-moskee en Gayer-Anderson-museum
De op een na oudste moskee van Cairo met daarnaast een museum van Arabische wooncultuur (bladzijde 41, 42)

7 Kamelenmarkt van Imbaba
Elke vrijdagmorgen een kleurrijk schouwspel – camera meebrengen! (bladzijde 47)

8 Sakkara
Een uitstapje naar de beroemde trappiramide (bladzijde 46)

9 Oase El-Fayoum
Dagtocht naar de grootste oase van Egypte met de oude waterraderen (bladzijde 46)

eeuwse stad. Over dat alles hangt een wolk van stof en uitlaatgassen, die zich steeds meer vermengt met oosterse luchtjes naarmate u dichter bij het oude centrum komt, en vijf keer per dag klinkt daar overheen de roep vanaf de minaret: 'Allahu akbar' – 'God is groot!' (D2)

BEZIENSWAARDIGHEDEN

Cairo Tower

〰 Van een mooi uitzicht op de piramiden, over de Nijl-cataracten en de citadel kunt u genieten vanaf de Cairo Tower op het Nijleiland *Gezira*. Gebouwd in de jaren zestig in de vorm van een gestileerde lotusbloem, beschikt de toren over een draaibaar restaurant, een café en een uitkijkplatform.

Citadel

★ Vanaf 1218 tot de 19de eeuw zetelde hier de regering, en tot in de tijd van Sadat deed het complex dienst als gevangenis – Saladdins bouwwerk uit de 12de eeuw weerstond de tand des tijds; het beleefde paleisintriges, moorden en omwentelingen. Wat zich allemaal binnen deze muren heeft afgespeeld, klinkt als een gruwelverhaal uit duizend-en-één nacht. Een explosie verwoestte in 1824 een groot deel van het oude gebouw, het juwelenpaleis (Qasir el-Gawhara) brandde in 1972 uit bij een poging tot inbraak. Nu het weer gerestaureerd is, kan een deel van het paleis weer worden bezichtigd. Maar de belangrijkste gebouwen zijn de Albasten Moskee, de kleine moskee van sultan El-Nasir die eens de hoofdmoskee van de citadel was, en de zogenaamde Jozefput (Bir Yussuf), in

de 12de eeuw gegraven en 87 m diep. Deze voorzag de citadel van water, samen met het aquaduct uit de 14de eeuw, waarvan in de richting van de Nijl nog resten zijn blijven staan.

De citadel is militair terrein; sommige delen zijn daarom niet toegankelijk. In het militaire museum zijn wapens te zien vanaf de tijd van de farao's tot de laatste oorlogen in het Nabije Oosten. *De citadel is geopend van 9.00-17.00 uur, toegang LE 3 voor het hele complex*

Dodenstad

Uniek voor de islamitische wereld is deze necropolis achter de oude stad – in plaats van graven staan hier huisjes. De monumenten worden bewoond – door burgers van Cairo, die hier gratis woonruimte hebben gevonden. Ook al is het een beetje een achterbuurt, toch is de plek het bekijken waard vanwege drie mausoleums uit de tijd van de Mamelukken.

Van noord naar zuid zijn dat allereerst de *Moskee van sultan Farag* en het *Graf van sultan Barquq*. Aan het complex werd twaalf jaar lang gebouwd, van 1398 tot 1411. U kunt het dak en de noordelijke minaret beklimmen, van bovenaf is de reusachtige 〰 dodenstad goed te overzien.

Meer naar het zuiden, aan de hoofdstraat, verheft zich de *Grafmoskee van sultan Barsbay*. 'Luipaard-Bay' liet het monument in 1432 bouwen. Let u eens op de koepels: elke koepel heeft een verschillend patroon van stenen ribben, een vroeg voorbeeld van de in die tijd opkomende kunst om koepels aan de buitenkant te decoreren.

Nog verder naar het zuiden ligt

de *Grafmoskee van sultan Qait-Bay*, gebouwd tussen 1472 en 1474. De koepeldecoratie toont een ingewikkeld vlechtwerk van ribben. Qait-Bay was een van de laatste Mamelukken-heersers, het middeleeuwse Cairo beleefde onder hem zijn laatste periode van culturele bloei.

Koptische wijk

★ Dit is een van de oudste delen van Cairo – de Grieks-Perzisch-Romeinse vesting omsluit een wijk die van oudsher een Kop-

Wereldberoemd: de drie piramiden van Gizeh

tisch centrum is. Bezienswaardig zijn naast de nog in gebruik zijnde kloosters St.-Mercurius en St.-Georg (Girgis) vooral de kerken, maar ook het museum, ook als u niet veel tijd in Cairo kunt doorbrengen.

U kunt *El-Muallaqa*, de 'hangende' kerk bekijken, die in de vestingmuur is opgenomen; *Sitt Barbara*, met relikwieën van de heilige; ten westen daarvan de *St.-Sergius* (Abu Serga), de oudste kerk van Cairo uit de tijd van de Fatimiden, gebouwd op de ruïnes van een nog oudere kerk.

Niet ver van El-Muallaqa staat de *Ben Ezra Sinagoge*, eens een Koptische kerk, die in de 12de eeuw aan de joodse gemeente is verkocht. Deze werd beroemd toen hier eind 19de eeuw manuscripten uit de begintijd van de Egyptische joodse gemeenschap werden gevonden.

Er zijn verschillende manieren om in de Koptische wijk te komen: *met de metro: van Midan Tahrir richting Heluan tot de halte Mari Girgis; per taxi: bestemming Misr el-Qadimah; of per Nijlbus, een veerboot die bij de Corniche even voor het televisiegebouw aanlegt: halte Mari Girgis.*

Manyal-paleis

In het noorden van het Nijleiland El-Roda ligt het Manyal-paleis in een park dat tegenwoordig voor het grootste deel wordt geëxploiteerd door de Club Méditerranée. Een deel van het paleis, dat in de 19de eeuw door Mohammed Ali werd gebouwd, is te bezichtigen. In het paleis is ook een jachtmuseum gevestigd. *Openingstijden 9.00-14.00 uur*

Moqattam-heuvels

◁▷ In het oosten van de stad; de citadel en de islamitische oude stad liggen hier aan uw voeten – bijzonder mooi uitzicht in de schemering.

Nijlmeter

Op de zuidpunt van het eiland El-Roda ligt een belangrijke attractie: de Nijlmeter, geplaatst in 861 op de plaats van zijn in de golven verdwenen voorganger. Heel waarschijnlijk bevond zich hier in de tijd van de farao's al een soortgelijk meetpunt om de waterstand van de Nijl te bepalen. Tot de bouw van de stuwdam in Aswan kon hier het exacte waterpeil van de Nijl worden afgelezen.

Piramiden van Gizeh

★ De beroemdste en best bewaarde piramiden van Egypte, gebouwd van 2700 tot 2560 v.C., kunt u, om het ergste gedrang te vermijden, het best vroeg in de morgen of laat in de middag bezichtigen. Meteen bij aankomst wordt u belaagd door baksjisj-jagers; zie deze kwijt te raken, als u tenminste niet van plan bent het terrein per kameel te verkennen.

Het eerst ziet u de *piramide van Cheops*, de oudste en grootste van deze grafmonumenten. Via trappen kunt u de ingang bereiken. U gaat dan een smalle, lage gang omhoog die naar de grote galerij van gladgepolijste kalksteen voert. Dan komt u door nog een lage gang in de eigenlijke grafkamer. Indrukwekkend is de precisie waarmee de geweldige steenmassa's op elkaar passen. Al is het misschien een uitdaging, het is verboden de piramide te beklimmen, velen zijn al van de gladde, meer dan een meter hoge blokken neergestort.

Direct naast de piramide staat het *Museum van de zonneboot*. Pas in 1954 werden vlak naast de piramide verschillende van dit soort boten ontdekt, gedemonteerd in meer dan duizend losse onderdelen, als een soort bouwpakket. Aan de *piramide van Chefren* is nog goed te zien hoe de piramiden vroeger waren afgewerkt: de bekleding met platen van gladde kalksteen is nog gedeeltelijk bewaard gebleven, de onderste lagen en ook de hoeken waren met een roze granietsoort bedekt.

Voor de piramide bevindt zich de dodentempel van Chefren, zijn uit dioriet gehouwen beeld is nu een pronkstuk van het Egyptisch Museum. Ook de piramide van Chefren is te bezichtigen; ze bevat twee grafkamers met een lege sarcofaag. De *piramide van Mycerinus*, de laatste en kleinste van de grote drie, werd in 1215 zwaar beschadigd; ook grafrovers hebben er danig in huisgehouden. De drie kleine piramiden ten zuiden ervan, in 1993 is een vierde gevonden, dienden als grafmonumenten voor leden van de koninklijke familie.

Als u teruggaat in de richting van de stad, ziet u aan uw linkerhand de *Grote Sfinx*, de wereldberoemde figuur met de mensenkop en het lichaam van een leeuw. De sfinx, gedeeltelijk uit de rots gehouwen en gedeeltelijk van andere steen gemaakt, is waarschijnlijk de afbeelding van een godheid. In zijn gelaatstrekken wordt een portret van Chefren gezien, maar wat nu eigenlijk de functie van het beeld was, is nog steeds niet duidelijk. Zijn naam luidt in het Arabisch Abu el-Hul – vader van de vrees – wat ook een interpretatie van deze mythische figuur inhoudt.

De laatste tijd doet de Egyptische dienst voor Oudheden pogingen dit unieke monument te redden, dat erg te lijden heeft van milieuinvloeden en het massatoerisme – er zijn verschillende meetapparaten aangebracht. *Het best te bereiken per taxi. Normale ritprijs LE 5-7. Openingstijden van de grafkamers 9.00-16.00 uur* (D2)

Stadspoorten

★ De Fatimiden omgaven hun stad El-Qahirah met zware stadsmuren, die nog deels intact zijn. De stadspoorten *Bab el-Futuh* (veroveringspoort) en *Bab el-Nasr* (overwinningspoort) liggen naast de El-Hakim-moskee – daar vindt u ook de poortwachter met de sleutel. In ruil voor wat baksjisj zal hij u de 🔆 stadsmuur op laten gaan – van bovenaf hebt u een schitterend uitzicht.

Hetzelfde geldt voor de zuidelijke stadspoort *Bab Zuwaila*. Hier werden de minaretten van de moskee van sultan Mu'awad Sjeich in de stadsmuur opgenomen, de portier van de moskee leidt u naar boven. Daar hebt u 🔆 uitzicht op een van de meest authentieke oude wijken van Cairo. Bekijkt u ook de toegangspoort van de moskee – deze is afkomstig van de Sultan-Hassan-moskee, maar hij beviel sultan Mu'awad zo goed dat hij hem naar zijn eigen moskee liet overbrengen.

MOSKEEËN

Albasten Moskee
★ Ook wel *Mohammed-Ali-moskee* genoemd. Boven op de citadel; de slanke minaretten tonen duidelijk de verwantschap met haar voorbeeld, de Aya Sofia in Istanbul.

El-Aqmar-moskee
De 'moskee van de manen' werd zo genoemd naar de kalksteen van de gevel, die eertijds straalde als het licht van de maan. *Aan de Sjaria Mu'izz Li Din Allah*

El-Azhar
★ 'De bloeiende', gesticht in 970, geldt ook nu nog als het meest gezaghebbende instituut van de sunnitische islam; dat hier ook altijd politiek bedreven werd, is niet verwonderlijk.

Verbonden aan de moskee is de universiteit, die in 988 geopend werd. Het lesrooster bevatte tot voor kort alleen theologische vakken en Arabisch, pas in 1961 kreeg El-Azhar ook nog andere

faculteiten. Het gebouwencomplex onderging in de loop der eeuwen een groot aantal veranderingen, uitbreidingen en restauraties. Origineel Fatimidisch is alleen nog een deel van de rechter liwan (gerekend vanaf de ingang).

Moskee van Amr Ibn el-As
Niet ver van de Koptische wijk, de oudste moskee van de stad, uit de 7de eeuw.

Moskee van Aksunkur
Ook Blauwe Moskee genoemd, naar de in 1652 bij een restauratie aangebrachte betegeling in Perzische stijl. De moskee zelf is tussen 1346 en 1347 gebouwd door emir Aksunkur.

Moskee van emir Khaybak
Uit de 16de eeuw, architectonisch opvallend door de onregelmatige façade. Ze ligt direkt naast de moskee van Aksunkur.

El-Hakim-moskee
★ Met haar noordwand, die is opgenomen in de stadsmuur van de Fatimiden, heeft deze moskee wel wat van een vesting. El-Hakim Biamrillah, de zesde Fatimidenkalief, voltooide het door zijn vader begonnen bouwwerk in 1013.

El-Hakim stichtte een nieuwe leer, die radicaal brak met de traditionele islam. Naar een vurig propagandist van deze beweging, El-Darazi, werden haar aanhangers Druzen genoemd, tegenwoordig komen zij alleen nog in Libanon, Syrië en Israël voor.

De moskee van Hakim raakte in verval na diens raadselachtige verdwijning in 1021; sinds 1980 wordt de moskee door islamieten uit India compleet gerestaureerd. Als u op het dak van de moskee klimt, heeft u een 👁 schitterend uitzicht over het noordelijke deel van de middeleeuwse stad.

Moskee van Ibn Tulun

★ Van de Tigris kwam hij naar de Nijl om Egypte te besturen uit naam van de kalief van Bagdad. Ibn Tulun liet tussen 876 en 879 zijn moskee bouwen. De spiraalvormige minaret, die herinnert aan die van Samarra, grijpt terug op Iraakse voorbeelden. Het gebouw is indrukwekkend door zijn eenvoud en zijn harmonische proporties.

Maridani-moskee

Deze ligt schuin tegenover de moskee van Aksunkur; bij de bouw ervan zijn veel zuilen uit de Oudheid gebruikt. Interessante details: een groot scherm van mashrabiya, dat de gebedsruimte scheidt van de voorhof; de mihrab en de minbar, die tot de mooiste van Cairo behoren.

Rifai-moskee

Bouwjaar 1912; hier liggen de koningen Fuad en Faruk begraven en ook de laatste sjah van Perzië, Reza Pahlevi, heeft hier zijn laatste rustplaats gevonden.

Moskee van sultan Barquq

Aan de *Sjaria Mu'izz Li Din Allah* ligt de schoolmoskee van sultan Barquq uit de late 14de eeuw. Zijn graf is in een nevenruimte te bezichtigen; zijn mausoleum bevindt zich in de dodenstad.

Moskee van sultan Hassan

★ Tegenover de Rifai-moskee aan de voet van de citadel, vindt u de Sultan Hassan-moskee uit de 14de eeuw, het graf van Hassan bevindt zich in het oostelijk deel van het complex. De moskee, die zowel door haar omvang als door haar bouwstijl wel wat van een vesting heeft, is ook voor militaire doeleinden gebruikt: vanaf het dak kon de citadel onder vuur genomen worden. Oorspronkelijk had het gebouw drie minaretten;

Indrukwekkend gezicht: de Moskee van sultan Hassan en de modernere Rifai-moskee

twee daarvan zijn ingestort, de ene die bewaard is gebleven is een van de hoogste van Cairo.

MUSEA

Egyptisch Museum
★ Dit beroemde museum is midden in het moderne stadscentrum gelegen; u vindt hier de grootste collectie Egyptische oudheden ter wereld. De hoeveelheid museumstukken is verpletterend, en wordt alleen overtroffen door het aantal toeristen dat hier elke dag in- en uitgaat.

's Middags is de beste tijd voor een bezoek, dan is het gedrang iets minder. Een deel van de bovenverdieping wordt in beslag genomen door de schat van Toetanchamon. De mummiezaal, die ooit door Sadat werd gesloten, is sinds kort weer toegankelijk. *Midan Tahrir, tel. 754319. Fotograferen toegestaan tegen een vergoeding van LE 10; filmen kost LE 100. Toegang: 15 LE, studenten halve prijs. Openingstijden 9.00-16.00 uur, op vrijdag middagpauze van 12.00 tot 14.00 uur*

Gayer-Anderson-museum
★ Pal naast de Ibn-Tulun-moskee vindt u de collectie voorwerpen uit Arabische interieurs, bijeengebracht door de Britse officier Gayer-Anderson, groot liefhebber van alles wat met de Oriënt te maken had.

De tentoonstellingsruimte bestaat uit twee samengevoegde 17deeeuwse huizen. De collectie geeft een uitstekend beeld van de Egyptische wooncultuur, hoewel niet alle tentoongestelde stukken uit het land zelf afkomstig zijn. *Openingstijden 9.00-16.00 uur, op vrijdag middagpauze tussen 11.00 en 13.30 uur, tel. 847822*

Het gouden masker van Toetanchamon

Islamitisch Museum
★ Het museum bezit een buitengewoon mooie verzameling islamitische kunst. Veel voorwerpen stammen uit de moskeeën van Cairo, maar er zijn ook stukken uit andere Arabische landen. Het museum geeft een uitstekend overzicht van houtsnijwerk, kalligrafie, paarlemoer- en ander inlegwerk en meesterwerken van faience en keramiek. *Midan Ahmad Maher/hoek Sjaria Port Saïd, tel. 903930, openingstijden 9.00-16.00 uur, vrijdag middagpauze tussen 11.00 en 13.30 uur*

Koptisch Museum
★ Dit museum biedt in zijn zalen een unieke verzameling Koptische kunst en voorwerpen uit de geschiedenis. Behalve religieuze kunst vindt u voorbeelden van Koptische textielbewerking, manuscripten, hout- en ivoorsnijwerk, fragmenten van zuilen en friezen.

Het gebouw zelf ademt een aangename sfeer; het is gemaakt naar het voorbeeld van een oud Koptisch huis. De hoofdingang ligt tussen de twee Romeinse torens van de vesting Babylon; u komt binnen via een kleine binnentuin. *Oud-Cairo, tel. 841766, openingstijden 9.00-16.00 uur, op vrijdag middagpauze tussen 11.00 en 13.00 uur*

Landbouwmuseum

In de wijk Dokki op de westelijke Nijloever gelegen, toont dit museum de geschiedenis van de Egyptische landbouw in de tijd van de farao's. Hier vindt u gebruiksvoorwerpen en ziet u taferelen uit het dagelijks leven op het land in de faraotijd. *In het stadsdeel Dokki, bij de 6-Oktoberbrug, tel. 702366, openingstijden 9.00-14.00 uur, vrijdag en maandag gesloten*

Papyrusinstituut

Ten zuiden van het Cairo Sheraton ligt een woonboot, waarop het Papyrusinstituut Dr. Hassan Ragab is gevestigd. Hier is te zien hoe papyrus gemaakt wordt, maar er is ook een kleine galerie waar u mooie prenten voor thuis kunt kopen. *Ten zuiden van het Cairo Sheraton, geopend 10.00-19.00 uur, tel. 3488676, toegang gratis*

RESTAURANTS

Abu Shaqra

Echt Egyptisch eten kunt u bij Abu Shaqra; waar geen alcohol wordt geschonken. *69 Sjaria Qasr al Aini, stadsdeel Garden City ten zuiden van het centrum, tel. 848602/848811, categorie 2*

Al Mashrabiya

Goed restaurant met Arabische keuken; er wordt geen alcohol geschonken. *4 Sjaria Ahmed Nassim, stadsdeel Dokki, tel. 725059/739462, categorie 2*

Andrea's

Populair openluchtrestaurant aan een Nijlkanaal vlak bij de piramiden. Specialiteit: kip bereid met tijm. *60 Marintia Canal, tel. 851133, categorie 3*

Café Groppi

❖ Het café staat bekend om zijn lekkere gebak en andere zoetigheden. *Midan Talaat Harb, tel. 743244, categorie 3*

El-Badawi

Hier kunt u niet alleen Egyptisch eten, maar ook karakteristieke gerechten uit andere Arabische landen bestellen. *Midan Misaha, stadsdeel Dokki, tel. 3484878/3488173, categorie 2*

Felfela

Ook in Felfela krijgt u echt Egyptisch eten, in een onvervalst Egyptische ambiance, heel voordelig. Centrum. *Sjaria Talaat Harb/hoek Sjaria Huda Sharawy, de ingang ligt circa 15 m van de hoek in de zijstraat. Tel. 740521, categorie 3*

Fishawi

Koffiehuis met interieur in Egyptische Jugendstil, geopend in 1773. Een oase in het gewoel van de bazaar. *Eerste zijstraatje links van de hoofdingang van de Khan el-Khalili-bazaar, tel. 906755, categorie 3*

Prestige

Hier eet u de beste pizza's van heel Cairo. *43 Sjaria Gezirat el-Arab, stadsdeel Muhandissin, tel. 3470383, categorie 2-3*

Tandoori

Hier wordt geen alcohol geschonken. Goede Indiase keuken. *11 Sjaria Shihab in Muhandissin, tel. 3486301, categorie 2-3*

WINKELEN

Net als de islamitische stadskern is het moderne Cairo een interessant terrein om te voet te verkennen — behalve een groot aantal fraaie gebouwen, vindt u er veel restaurants en winkels.

Een groot assortiment buitenlandse bladen is te koop bij *Café Groppi, hoek Talaat Harb/Qasr el-Nil*. Ontspanning kunt u vinden op het terras van het *Nile Hilton* aan de *Midan Tahrir*, het centrale plein van de stad, waar u naast een busstation dat voortdurend uitpuilt van mensen ook het metrostation vindt. Aan de overzijde verheft zich een enorme kantoorkolos — de Mugamma, het bestuurlijke centrum van Cairo; hier is ook het centrale meldpunt voor toeristen, de plek om visums te verlengen en een re-entry-visum aan te vragen.

De meeste toeristen willen per se naar de bazaar en de souks daaromheen. Het voordeel (of nadeel) van de winkels in de binnenstad is dat ze vaste prijzen hanteren. Opvallend in het moderne Cairo zijn de vele schoenenwinkels. U hebt hier al een paar schoenen voor LE 30 à 50, de kwaliteit is wisselend, maar in het algemeen niet slecht. Typische souvenirs kunt u beter in de bazaar kopen, omdat u daar kunt afdingen.

Khan el-Khalili-bazaar

Links van de Sawidna Hussein-moskee begint de Khan el-Khalili-bazaar, een unieke markt voor ambachtelijke produkten van metaal en hout, en bovendien voor leer en sieraden; een geheimzinnig labyrint van donkere steegjes. U kunt er uren doorbrengen met loven en bieden en kletsen met de verkopers. Het terrein loopt in de richting van de Hussein-moskee geleidelijk maar constant op.

De naam van de bazaar stamt van de *khan* (Perzisch voor handelshuis) die hier in 1382 door Amir Gorhas el-Khalili werd gesticht. De oude gebouwen zijn heel bijzonder — ook als u niets koopt, kunt u naar hartelust rondkijken. Het merendeel van de bouwwerken werd onder sultan El-Guri, in het begin van de 16de eeuw, gerestaureerd. Van die tijd dateert ook het typische mengelmoesje van winkels en werkplaatsen. Duurdere zaken, die vaak gericht zijn op westerse klandizie, vindt u aan de 'hoofdstraat' van de bazaar en rechts daarvan.

HOTELS

Cairo Marriott

Als het u te doen is om sfeer en u niet op een paar centen kijkt, kunt u terecht in het Cairo Marriott, een voormalig Khedivenpaleis, dat tot hotel is verbouwd en uitgebreid is met twee vleugels. De oorspronkelijke inrichting is gedeeltelijk bewaard gebleven. 1147 kamers. *Op het Nijleiland Gezira in het stadsdeel Zamalek, Sjaria Saraya el-Gezira, tel. 3408888, fax 3406667, categorie 1*

Cairo Sheraton Giza

Mooi uitzicht op de Nijl. Italiaanse keuken in La Mamma; Egyptische keuken in Arouss El Nil. *Midan el-Galaa, tel. 3488600/3488700, toegankelijk voor rolstoelgebruikers, categorie 1*

Cosmopolitan

In een rustige zijstraat van het centrum van Cairo ligt het Cosmopolitan. Een aangenaam hotel met ouderwetse charme. 84 kamers. *Sjaria Ibn Tahlab/Sjaria Qasr el-Nil, tel. 3923845, fax 3933531, categorie 2*

Hotel Flamenco

Een goede middenklasser onder de hotels is het Hotel Flamenco, eveneens op het eiland Gezira in het stadsdeel Zamalek. Met een taxi bent u in ongeveer tien minuten in het centrum. 132 kamers. *Sjaria el-Gezira el-Wosta, tel. 340815/3411325, fax 3400819, categorie 2*

Mena House

Ook het Mena House biedt u een sfeer als van een oosters paleis. Vanaf uw ontbijttafeltje kijkt u zo op de piramiden. Maar als het erg druk op de weg is, moet u voor een ritje naar de stad wel drie kwartier uittrekken. 520 kamers. *Sjaria el-Ahram, tel. 3877444/3874999, fax 3873424, toegankelijk voor rolstoelgebruikers, categorie 1*

Victoria

Veel goedkoper slaapt u in het Victoria hotel, eveneens in het centrum gelegen, maar meer in de richting van de oude stad en af en toe wat rumoerig. 105 kamers. *66 Sjaria Gumhuria, tel. 918766/918038, categorie 2-3*

UITGAAN

Cairo Opera

In de Cairo Opera, die in 1988 op het Nijleiland Gezira is gebouwd ter vervanging van de in 1971 afgebrande oude opera in het centrum, kunt u van september tot mei een gevarieerd programma bewonderen met vele gastoptredens van internationale gezel-schappen. Stropdas verplicht. *Tel. 3420598, voorverkoop 10.00-13.00 en 17.00-20.00 uur*

Disco's

Jackie's in het Nile Hilton. *Midan Tahrir/Corniche el-Nil, tel. 750566/740777*; *Sultana* in het Semiramis Intercontinental, *Corniche el-Nil, tel. 3557171*; *Mashrabiya-bar* van het Cairo Sheraton, *Midan el-Galaa, tel. 3488600.*

De nachtclubs van de grote hotels zijn wel duur, maar u krijgt er wel de beste buikdanseressen van heel Egypte te zien. Vergeet u vooral niet een tafeltje te reserveren. *Aladin Nightclub* in het Cairo Sheraton, *Midan el-Galaa, tel. 33488600*; *Haroun el-Raschid* in het Semiramis, *Corniche el-Nil, tel. 740777.*

Um Kalthum Theater

Egyptische folklore kunt u van september tot mei gaan bekijken in het Um Kalthum Theater. Ook het ensemble van Mahmud Reda treedt hier op. *Hoek Sjaria el-Nil/Sjaria 26 July, tel. 3471718* (voormalig Balloon Theatre)

INLICHTINGEN

Tourist Office

5 Sjaria Adli, tel. 923000. Ook kunt u bij aankomst op de luchthaven de informatiebalie in de nieuwe terminal opzoeken.

UITSTAPJES

Bij het overzicht van de uitstapjes in de omgeving van Cairo hebben we geen alfabetische volgorde aangehouden, maar bespreken we u een route die langs de voornaamste bezienswaardigheden loopt.

Sakkara

★ Rijdend vanaf Cairo in zuidelijke richting bent u binnen een uur bij de necropolis van het Oude Rijk met de beroemde *trappiramide van Djoser, toegang LE 5*. De mooiste route buigt kort voor de piramiden van Gizeh, bij de laatste kanaaloversteek, linksaf en volgt dan verder het kanaal.

Als u daarentegen met de auto de hoofdweg neemt, komt u langs het dorp Haraniya, dat bekend is geworden door Wissa Wassef, die bij wijze van sociaal project de kinderen uit de omliggende dorpen de kunst van het tapijtweven heeft bijgebracht. De kinderen ontwerpen zelf de naïeve motieven in bonte kleuren.

In Sakkara zelf kunt u, behalve de trappiramide, ook een uitgebreid *grafveld* en *tempelcomplex* bekijken. In 1995 is hier nog een piramide opgegraven. De moeite waard zijn de mastaba's van Ti, Mereruka en prinses Idut. Ook het *Serapeum* met de graven van de eertijds heilig geachte Apis-stieren, die net als mensen werden gemummificeerd en bijgezet, is interessant.

Sakkara was de necropolis van Memphis, waarvan de ruïnes hier vlakbij, bij het dorp Mitrahina liggen. Deze worden eigenlijk alleen nog bezocht vanwege een kolos van Ramses II. Een tweede kolos staat nu op het voorplein van het Ramses-station in Cairo. (D2)

Piramiden van Dahsjur

Even verder naar het zuiden ligt een uitgebreid piramidenveld, helaas op verboden militair terrein. Hier liggen de piramiden van Dahsjur, bekend vanwege de 'witte', 'rode' en 'zwarte' piramide. Het opvallendste monument is echter de 'knikpiramide' van Snofru uit de 4de dynastie: deze heet zo vanwege haar hellingshoek, die op halve hoogte verspringt. (D2)

Piramide van Maidum

Nog 80 km verder naar het zuiden staat de piramide van Maidum, opvallend door haar afwijkende vorm. De oorspronkelijke trappen werden opgevuld en kregen een gladde bekleding, die echter niet goed werd vastgezet. Daardoor gleed de hele bovenlaag met veel geraas naar beneden, en zo ontstond de tegenwoordige vorm. (D2)

Oase El-Fayoum

★ De 'tuin van Cairo', op 200 km van de Egyptische hoofdstad, kunt u in een dag gemakkelijk bezoeken. Na de piramide van Maidum gaat de reis naar het zuidwesten, langs de – beschadigde – *piramide van Illahun*, daarna komt de *piramide van Hawara*, waar nog minder van over is. Ooit heeft hier een dodentempel gestaan, die volgens de overlevering van Herodotus bestond uit een labyrint van 3000 afzonderlijke vertrekken.

Een paar kilometer verderop ligt *Medinat el-Fayoum*, hoofdplaats van de oase. De Fayoum is bekend om zijn tot 5 m hoge *waterraderen*, die vroeger het water uit de vele kanalen van de oase op de velden brachten – vier exemplaren ziet u al meteen in het stadje. Vak daarnaast staat de *Cafetaria Al Medina*.

In het centrum staat de Qait-Baymoskee uit de 15de eeuw, en ook kunt u een blik werpen op het *Mausoleum van Ali er-Rubi*. Nog eens zeven waterraderen vindt u langs

De beroemde waterraderen van de Fayoum, bedoeld voor de irrigatie

het *Bahr-Sinuris-kanaal*, meer naar het noorden komt u bij het Meer van Qarun, dat zich in vroeger tijden over de hele oase uitstrekte en vol krokodillen zat. Hier bouwde koning Faruk een paleis; Hotel *Auberge du Lac*, dat in zijn voormalige residentie is gevestigd, is zonder enige twijfel het beste adres in de hele Fayoum (*tel. 084/700002, categorie 2*). Vanaf het dorp *Shakshouk* gaat een veerboot naar de overzijde van het meer en de ruïnes van *Dime*, een stad uit de Grieks-Romeinse tijd. Aan de zuidelijke oever ligt *Qasr Qarun* met een goed geconserveerde *tempel* en de *ruïnes van Dionysiae*, een vestiging uit de tijd van Ptolemaeus. Aan het Meer van Qarun vindt u ook de oudste geplaveide weg ter wereld, die 12 km lang is en dateert van het Oude Rijk (2778 v.C.). Ten noorden van het meer loopt een autoweg dwars door de woestijn terug naar Cairo. (D2)

Kamelenmarkt van Imbaba

★ U moet er wel vroeg voor uit de veren, maar de *Cairese kamelen-* markt in de wijk *Imbaba* biedt elke vrijdagmorgen een boeiend spektakel. De meeste 'schepen van de woestijn' gaan van hier linea recta naar het slachthuis; dat neemt niet weg dat u hier mooie foto's kunt maken. De markt ligt even buiten de stad, maar elke taxichauffeur weet de *souk el-gimaal* te vinden. *Vanaf het centrum van Cairo mag de rit niet meer dan LE 5 kosten.* (D2)

Nijl-barrages

Maar 25 km ten noorden van Cairo ligt een stuwdam die Mohammed Ali in 1825 heeft laten bouwen. Uniek voor het Nabije Oosten is de opbouw van de dam, die wel iets heeft van middeleeuwse kastelen. Bij de stuwdam dobberen felouks, die u voor een 'minicruise' op de Nijl kunt huren. De ✪ barrages zijn via wegen langs beide Nijloevers gemakkelijk per taxi te bereiken. (D2)

Tanis

De ruïnes van deze stad liggen op ongeveer 160 km van de hoofdstad in de oostelijke Nijldelta. De plaats, die tijdens de 21ste en 23ste dynastie hoofdstad van heel Egypte was, wordt gedomineerd door een grote tempel van Amon. Er liggen drie kolossale beelden van Ramses II, en afgaande op de overgebleven reliëfs, zuilen en obelisken moet deze plaats ooit even belangrijk geweest zijn als Karnak. Het grote verschil is dat u hier nog rustig kunt rondkijken. In het dicht bij Tanis gelegen plaatsje San el-Hagar kunt u uitrusten bij een verkwikkend glas thee. (D1)

Goden, tempels en farao's

In het spoor van Nefertete en Toetanchamon: het oude Egypte ligt hier aan uw voeten

Wie vooral uit belangstelling voor kunst en cultuur naar Egypte reist, komt in Opper-Egypte volop aan zijn trekken, want daar liggen de hoogtepunten van de klassieke cultuur.

Met Luxor en Aswan als pleisterplaatsen ontvouwt zich voor u het panorama van het oude Egypte. Bij deze plaatsen liggen de bezienswaardigheden die voor ons het beeld van deze oude cultuur bepalen. De grafschilderingen in Thebe-West, eens de necropolis van het Middenrijk, met hun vaak ongelooflijk goed geconserveerde kleuren, het Dal der Koningen met het wereldberoemde graf van Toetanchamon, de tempels van Luxor, Karnak en Abu Simbel, Philae en Edfu; het zijn stuk voor stuk namen die doen denken aan goden en farao's, maar tegelijk geven deze plaatsen u een verrassend heldere blik op het dagelijks leven in die tijd.

Ook de verder stroomopwaarts gelegen monumenten, de tempels van Abydos en Dendera, verdienen een bezoek, net als Tell el-Amarna, al is daar nog maar weinig dat aan het rijke verleden herinnert. Er is enige verbeeldingskracht voor nodig om te bedenken hoe Nefertete en Achnaton hier destijds hebben rondgewandeld.

Maar ook wie na de chaos van de miljoenenstad Cairo vooral rust en ontspanning zoekt, kan in Opper-Egypte volop terecht. De naam die Aswan al sinds de vorige eeuw heeft als 'overwinteringsplaats' is niet zomaar uit de lucht komen vallen. In dit aangename klimaat met zijn droge, warme lucht was de dagelijkse sleur van het natte, koude Europa snel vergeten. Het terras van het Old Cataract Hotel zat vol met rijke Engelsen en was dus geknipt als decor voor Agatha Christies *Dood op de Nijl*.

Een zeilcruise op de Nijl is een weldaad voor mensen die last hebben van stress, vooral bij zonsondergang, wanneer de oevers van de Nijl zachtjes en ontspannen aan u voorbijglijden. Naar het zuiden toe wordt het Nijldal steeds smaller, en steeds

Het middenschip van de machtige zuilenhal in de hoofdtempel van de rijksgod Amon in Karnak

MARCO POLO-TIPS:
OPPER-EGYPTE

1 Aswan
Klein stadje met een groots
verleden (bladzijde 53)

2 Edfu
De best bewaarde tempel van
het oude Egypte (bladzijde 64)

3 Felouktochtje op de Nijl
Romantisch en rustgevend
(bladzijde 53)

4 Tempel van Karnak
Obelisken, zuilen, kolossen –
het grootste tempelcomplex
van Egypte (bladzijde 59)

**5 Koepelgraven van Saujat
el-Amwat/Saujat el-Maitin**
Een zee van witte koepels ligt
tussen de kale woestijn en het
weelderig groene Nijldal
(bladzijde 65)

6 Tempel van Luxor
Vooral 's avonds zeer
sfeervol (bladzijde 59)

7 Nubische markt in Darau
Kamelen en andere koopwaar
in dit schilderachtige
Nubische dorp (bladzijde 56)

8 Dal der Koningen
Hoogtepunt van elke reis
naar Egypte (bladzijde 61)

9 Tempel van Hatsjepsut
De vrouw op de farao-troon
had smaak – de tempel is
een architectonisch
meesterwerk (bladzijde 61)

10 Tempels van Abu Simbel
Een boeiende rit door de
woestijn, vooral bij
zonsopgang (bladzijde 56)

dichterbij komen de bruingele
wanden van rotsen en zand, in
schilderachtig contrast met het
groen van de dadelpalmwouden
en de suikerrietplantages, de met
de heuvels vergroeide lemen
dorpjes van de fellah's en het in
de zon glinsterende water van de
rivier.

Ten zuiden van Aswan, bij de eerste cataract, komt u aan de zuidgrens van het Oude Egypte.
Vroeger waren deze stroomver-
snellingen voor de scheepvaart
een onoverkomelijk obstakel. De
grens had niet alleen politieke betekenis, de scheidslijn met Nu-
bisch gebied markeerde ook een

belangrijke cultuurovergang. De
souks van Aswan en Darau ade-
men al een duidelijk Afrikaanse
sfeer. Ook de schilderachtige dui-
ventillen overal langs de weg en
de bonte Nubische markttaferelen
zouden net zo goed in Somalië of
Kenia passen. De huidskleur van
de mensen wordt donker, aan
hun tongval en vooral aan hun
muziek is te horen dat hier dichtbij een heel andere wereld begint.
Wie een bezoek brengt aan Opper-Egypte, vindt een totaal ander
land dan degene die kiest voor
een badplaats aan de Rode Zee of
voor Alexandrië. Het leven aan de
bovenloop van de Nijl wordt,

sterker dan op andere plaatsen, bepaald door de tradities van het verleden. Als u de fellah-dorpjes voorbij ziet glijden, is er niet zo heel veel fantasie voor nodig om u terug te wanen in de tijd van de farao's.

Opper-Egypte is een gebied om langer te blijven, om tot rust te komen, wat niet wil zeggen dat hier geen massatoerisme bestaat – Luxor breekt in dat opzicht alle records. Maar als u de drukte vermijdt en u concentreert op de mensen en het landschap, dan zult u begrijpen waarom veel Egyptenaren hier zelf hun vakantie doorbrengen.

Als u het Nijldal werkelijk wilt ondergaan, en niet alleen in een paar dagen 'doen', dan moet u de trein nemen. Het vliegtuig doet over de afstand tussen Cairo en Aswan natuurlijk maar een fractie van de tijd die u voor een treinreis nodig hebt, maar u kunt de sfeer van dit unieke rivierdal, waarin een van de oudste culturen ter wereld zich heeft ontwikkeld, veel beter op u laten inwerken als u op uw gemak door het landschap tuft.

Als u in Cairo de nachttrein neemt, wordt u de volgende morgen in Opper-Egypte wakker: suikerriet- en bananenplantages, palmen en dorpjes glijden voorbij, en u krijgt een eerste indruk van een deel van Egypte dat ondanks de groei van het toerisme nog tamelijk ongerept gebleven is. De trein stopt vaak, op stationnetjes, bij landelijke marktplaatsen of zomaar ergens in het open veld – tijd genoeg om het landschap of de bedrijvigheid rond de trein te bekijken, en ook om een eerste indruk op te doen van het harde bestaan op het land.

Een heel andere, maar minstens zo boeiende manier om het Nijldal te leren kennen bieden de – terecht befaamde – Nijlcruises. De schepen pendelen op en neer tussen Luxor en Aswan, maar tegenwoordig zijn er ook schepen die helemaal naar Cairo afzakken. Deze reis duurt ongeveer tien dagen. Op deze schepen, die variëren van gerieflijk tot uitgesproken luxueus, ondervindt u alle comfort van een cruisetocht, en worden u excursies naar de klassieke monumenten aan de wal aangeboden. En als er geen excursie is, kunt u aan dek genieten van het langzaam voorbijglijdende landschap – op zijn mooist als de zon majestueus achter de bergen van de Libische woestijn wegzakt.

Als u een cruise wilt maken, moet u wel op tijd boeken. Juist rond Kerstmis, als Opper-Egypte volstroomt met toeristen, nemen ook veel welgestelde Egyptenaren een paar dagen vrij voor een tochtje.

ASYUT

Met haar 300.000 inwoners is dit de grootste stad van Opper-Egypte, die onder andere beschikt over een universiteit. Asyut ligt aan de westelijke Nijloever, midden in het vruchtbare rivierdal. Voor toeristen is er niet bijster veel te beleven. De stad is niet op toerisme ingesteld en er zijn bijvoorbeeld maar weinig hotels.

De mooiste plek van de stad is ongetwijfeld de schaduwrijke boulevard aan de rivieroever, de Corniche. De buitenwijken reiken tot aan de westelijke bergketen, waar graven van lokale vorsten zijn uitgehakt in de steile rotswand – als

u de moeite neemt deze te beklimmen, wordt u beloond met
een schitterend ❧ uitzicht over
de stad en het Nijldal.

Ga eens neuzen in de souk, veel
souvenirs zijn hier goedkoper dan
in Cairo, omdat ze ter plaatse gemaakt worden. Een wandeling
naar de stuwdam ten noorden
van de stad behoort eveneens tot
de mogelijkheden. De tijd dat Asyut als hoofdstad van Opper-
Egypte een belangrijke plaats was,
ligt alweer ver terug: toen dit het
eindpunt was van de karavaan-
route dwars door de westelijke
woestijn vanaf Sudan, beleefde de
stad zijn hoogtepunt.

Toen het christendom vaste voet
aan de grond kreeg in Egypte
groeide het Koptische Siut al snel
uit tot een christelijk bolwerk. Af
en toe komt de stad in het nieuws
als de spanningen tussen de mos-
limmeerderheid en de nog altijd
grote christelijke minderheid tot
een uitbarsting komen. De handel
in katoen en de textielindustrie
zijn hier de voornaamste middelen van bestaan.

De beste manier om naar Asyut te
reizen is per trein, maar de stad
beschikt ook over een vliegveld.
(D3)

HOTELS

Het is praktisch onmogelijk om
vanuit Cairo een hotel in Asyut te
boeken: u zult er meteen zelf
naartoe moeten. De hotels Savoy,
Cairo Palace, Isis en Windsor zijn
stuk voor stuk zéér bescheiden
onderkomens in het centrum van
de stad.

Badr, Sjaria el-Thallagar
Behoort tot categorie 3. 60 kamers. *Tel.* 088/329811/12

UITSTAPJE

Tell el-Amarna
De beroemde stad van Achnaton,
door hem oorspronkelijk Achet-
Aton genoemd, naar Aton, de
zonneschijf die hij tot enige god
uitriep. De farao veranderde ook
zijn eigen naam, Amenhotep IV:
Achet-Aton moest het begin worden van een nieuwe tijd. In niet
meer dan twaalf jaar tijd werd de
nieuwe stad uit de grond ge-
stampt, maar na de dood van de
'ketter-koning' kreeg de traditie
opnieuw de overhand, toen zijn
schoonzoon Toetanchamon naar
Thebe terugkeerde en Achet-Aton
in verval raakte.

Tot vreugde van de archeologen
is de plaats later niet meer bebouwd, zodat opgravingen een
rijke oogst aan vondsten hebben
opgeleverd en nog steeds opleveren – het zoeken gaat nog door.
De grootste vondst was de buste
van Nefertete, de vrouw van Achnaton, tegenwoordig te bewonderen in het Egyptisch museum
in Berlijn. Archeologen wisten
ook de hand te leggen op het
complete staatsarchief – wat het
inzicht in deze periode van omwenteling zeer heeft verhelderd.

Voor de bezoeker van nu heeft
Tell el-Amarna niet veel te bieden. De plattegrond van de voormalige residentie is nog te herkennen en ook enige graven van
koninklijke beambten zijn bewaard gebleven, hoewel niet allemaal in even goede staat. In de
graven nr. 1, 2 en 4 is het ko-
ningspaar afgebeeld in gezelschap
van hun dochtertjes, het meest
geliefde motief van de Amarnische periode. Tell el-Amarna kunt
u het best bereiken vanaf Asyut of
El-Miniya, per taxi. (D3)

U kunt felouks huren voor een tochtje op de Nijl

ASWAN

★ Deze stad aan de zuidgrens van het Oude Egypte telt 280.000 inwoners en toch lijkt het een slaperig klein stadje – in Aswan is de sfeer van vroeger nog blijven hangen. Ook hier leven de mensen voornamelijk van het toerisme, maar ze doen dat op een veel minder opdringerige manier dan in Luxor. In Aswan kunt u rustig wandelen over de Corniche, de boulevard langs de rivieroever, of door de bonte souks; hier vindt u de meest authentieke bazaar van heel Egypte.

Ook Aswan was ooit een pleisterplaats voor de karavanen uit zwart Afrika, aan het goederenaanbod in de bazaar is dat ook nu nog te zien. Langs de Corniche staan de hotels en veel kleine restaurants. U kunt hier 's avonds gaan ✪ wandelen en bij een *ahwa* of een *shai* genieten van het prachtige

uitzicht op de ✹ Nijl met zijn vele eilandjes, de woestijnachtige oever op de achtergrond en daartussen de witte zeilen van de felouks. Hier lijkt de heksenketel Cairo op een andere planeet te liggen.

Het ideale vervoermiddel in Aswan is de felouk. ★ *Een normale prijs voor een felouktochtje op de Nijl is ongeveer LE 15 voor drie uur – vraagt u in het Abu Simbel Hotel naar kapitein Radawi, hij heeft een goede reputatie.*

Als u beschikt over een visum, kunt u vanaf Aswan ook verder reizen naar Sudan. Kaartjes voor de veerboot naar Wadi Halfa zijn bij meerdere reisbureaus langs de Corniche te koop, waar ze ook treinkaartjes voor het traject naar Khartoum hebben. Duur van de reis: drie dagen per schip, 36 uur met de trein – insha'allah. (E5)

Mausoleum van de Aga Khan
Al van veraf is dit sobere monument zichtbaar, bekroond met een koepel. Hier werd in 1957 de voorman van de Ismaëlieten begraven. Aan de voet van de mausoleumheuvel ligt een villa van de *begum* (koningin), die hier af en toe een kort bezoek brengt.

Elephantine
Op dit eiland in de Nijl werden de oudste nederzettingen gevonden, daterend van circa 4000 v.C. Opgravingen brachten ook heiligdommen aan het licht van Satet, godin van de Nijlvloed, en Chnum, de god van de cataract met het ramshoofd. Er is een klein museum met vondsten van de verschillende archeologische expedities. Bezienswaardig zijn de klassieke Nijlmeter en de beide

Nubische dorpen. De naam van het eiland is afkomstig uit het Grieks; oorspronkelijk heette het *Yebu*, Oudegyptisch voor olifant, wat misschien verwijst naar de vroegere handel in ivoor. *Naar het eiland Elephantine gaat een gratis veerboot van het Oberoi-hotel.*

Kitchener Island

Deze schaduwrijke botanische tuin was ooit het privé-eiland van lord Horatio Kitchener, opperbevelhebber van het Engelse koloniale leger aan het eind van de 19de eeuw. Hij is deze tuin ooit begonnen door planten uit alle delen van het Engelse koloniale imperium te verzamelen. Veel tropische planten hebben hier een plek gevonden, en zorgen voor een bonte kleurenpracht — een treffend contrast met het zand en de rotsen van de omliggende woestijn.

Onvoltooide obelisk

Zuidelijk van de Cataract-hotels gaat er een weg naar de granietgroeven waar vroeger het befaamde roze graniet werd gewonnen. De obelisk kon vanwege een barst in de steen niet worden voltooid en bleef dus waar hij was.

Philae

Voor dit eiland met zijn beroemde Isis-tempel betekenden de stuwdammen van Aswan letterlijk de ondergang — reeds door het stuwmeer van de eerste dam kwam het tien maanden per jaar onder water te staan; na de ingebruikneming van de tweede dam verdween het eiland helemaal in de golven.

Het tempelcomplex werd op het buureiland *Agilka* herbouwd, maar de romantiek van het vroegere Philae met zijn wuivende palmbomen komt nooit meer terug. Agilka is kaal en ook de beroemde draaikolken, waardoor het leek of de Nijl zowel naar het noorden als naar het zuiden stroomde, zijn niet met kunstmatige middelen na te maken.

De tempel van Isis stamt uit de tijd van de Ptolemaeën, de Romeinen lieten de Poort van Hadrianus en de nooit voltooide Kiosk van Trajanus aanleggen, die vanwege zijn veelsoortige kapitelen een geliefd doelwit voor fotografen is. Een kleine Hathor-tempel en een heiligdom van Imhotep completeren het geheel.

Rotsgraven

Op de westelijke oever vindt u graven van districtshoofden uit het Oude Rijk en het Middenrijk. Goed te herkennen zijn de hellingbanen waarover de sarcofagen omhoog werden getrokken. Als u naar de 'top' van de heuvel klimt, hebt u een overweldigend uitzicht op Aswan en het Nijllandschap. Hier boven vindt u ook een gedenkplaats voor een plaatselijke heilige, Kubbet al-Hawa genaamd.

Simeonklooster

Vanaf het mausoleum van de Aga Khan bent u hier in ongeveer een kwartier — per kameel of per ezel; u kunt natuurlijk ook gaan lopen. Het klooster, dat ooit een van de grootste van Egypte was, werd gebouwd in de 7de en 8ste eeuw. Zelfs nu nog doen de ruïnes sterk denken aan een versterkte burcht. Binnen de 6 m hoge muren van het uitgestrekte complex bevonden zich een basiliek en tevens grootschalig opgezette woon- en werkruimten voor de monniken.

Stuwdammen

De eerste dam werd gebouwd door de Engelsen, die hem in 1902 voltooiden. Zij hielden nog rekening met het ritme van de rivier en lieten het hoogwater met het vruchtbare slib ongehinderd passeren, minder uit ecologisch inzicht dan uit angst dat de buizen en turbines zouden dichtslibben. Alleen de secundaire vloed van de Witte Nijl, die bijna geen slib meevoert, werd opgestuwd; deze was niet gevaarlijk voor de turbines.

Sinds de bouw van de hoge dam (Sadd el-Ali) is de situatie sterk gewijzigd: het kostbare slib blijft in het stuwmeer achter, het komt niet meer op de akkers van de fellah's terecht, die tegenwoordig op kunstmest zijn aangewezen. Ook helemaal in het noorden, in de delta, ondervinden de boeren de gevolgen van de nieuwe dam. De grond verzilt daar steeds meer. Hier staat tegenover dat de hoge dam en de daarmee samenhangende continuïteit in de watervoorziening meerdere oogsten per jaar mogelijk maakt en dat ook in de dringende behoefte aan elektriciteit veel beter kan worden voorzien.

De bouw van de dam is in de loop van de tijd steeds meer een politiek twistpunt geworden. Toen de VS hun financiële toezeggingen niet meer gestand wilden doen, klopte Gamal Abdal Nasser aan bij de Sovjets, die uit de Duitse bouwplannen de doorlaatopeningen voor het vruchtbare slib schrapten – uit financiële overwegingen. ❧ Het monument van de Sovjet-Egyptische vriendschap is een gestileerde lotusbloem met bovenop een uitkijkplatform. Het overleefde alle politieke strubbelingen en van bovenaf hebt u een schitterend panorama: het gigantische bouwwerk aan uw voeten, de blauwe vlakte van het Nasser-stuwmeer daarachter en aan alle kanten de woestijn. Toestemming om het platform te betreden moet u vragen bij de controlepost even voor de dam.

Technische gegevens van de dam: hoogte 111 m, lengte 3,6 km, breedte aan de voet 1 km. Maximale produktiecapaciteit 2 megawatt, gewicht circa 90 miljoen ton.

MUSEUM

Museum van Elephantine

In het museum zijn archeologische vondsten te zien afkomstig van opgravingen op het eiland. *Dag. 8.00-17.00 uur*

RESTAURANTS

U kunt natuurlijk altijd in uw hotel eten, maar heel voordelig en helemaal niet slecht zijn de vele restaurantjes aan de rivierzijde van de Corniche. U hebt daar bovendien een mooi uitzicht op de Nijl.

Isis Hotel – Trattoria

Een uitstekend Italiaans restaurant dat deel uitmaakt van het Isis-hotelcomplex aan de Corniche. *Corniche el-Nil, tel. 097-326891, categorie 2*

Mona Lisa

❖ Hier eten ook de kapiteins van de felouks. U moet de Mona-Lisa-cocktail eens proberen, gemaakt van karkadeh, banaan, guave en citroensap. Mooi gelegen. *Rivierzijde van de Corniche, categorie 3*

WINKELEN

❖ In de bazaar vindt u alle mogelijke souvenirs en nog veel meer. Heel sfeervol is een avondwandeling door de bazaar. Hier vindt u de beste karkadeh, de rode thee van hibiscusbloesem. De gedroogde bloemen worden voor LE 2 à 3 per pond verkocht en blijven heel lang goed.

Als u een nieuwe broek nodig hebt, bent u hier snel klaar. De kleermaker Barahat, in de souk van de stoffenverkopers, is een kostelijke figuur. Terwijl hij u de maat neemt, zal hij u de oren van het hoofd kletsen. Binnen een dag kunt u uw nieuw verworven kledingstuk ophalen. Prijzen: broek LE 15, shirt LE 10. Het straatje van de stoffenverkopers kunt u al van ver herkennen aan de uitgestalde balen stof en kleren. *Het winkeltje van Barahat vindt u — vanaf de Corniche — na ongeveer 150 m in het steegje aan uw rechterhand.*

HOTELS

Abu Simbel Hotel
Heel voordelig kunt u terecht in het Abu Simbel Hotel, aan de Corniche, de tuin wordt druk bezocht. 155 kamers. *Sjaria Corniche el-Nil, tel. 097-322888, toegankelijk voor rolstoelgebruikers, categorie 3*

Kalabsha Hotel
Vanaf dit hotel, dat hoger ligt dan het Cataract Hotel, is het uitzicht bijna even mooi. 110 kamers. *Sjaria Abtal el-Tahrir, tel. 097-322999, categorie 2*

Old Cataract Hotel
Sfeervol hotel met een schitterend ❖ uitzicht; tegen het stijlvolle gebouw is helaas een anonieme

uitbreiding aangeplakt. 273 kamers. *Sjaria Abtal el-Tahrir, tel. 097-323434/323222, fax 323510, toegankelijk voor rolstoelgebruikers, categorie 1*

UITGAAN

Het nachtleven hier is beperkt. Nachtclubs met buikdansen en Nubische folklore vindt u in het Old Cataract- en het Kalabsha Hotel. Verder zit iedereen in de vele cafeetjes langs de oever of in de tuin van het Abu Simbel Hotel.

INLICHTINGEN

Tourist Information
Tourist Bazar, tel. 097-323297

Toeristenpolitie
Tel. 23163

UITSTAPJES

Darau
★ ❖ Dinsdag is marktdag in dit Nubische dorpje; oostelijk van de spoorlijn wordt de meest authentieke kamelenmarkt van het land gehouden. Maar ook in de souks ten westen van de spoorlijn gaat het er schilderachtig aan toe. Het loven en bieden levert een bont schouwspel op. *Darau is te bereiken per bus of taxi vanaf Aswan (circa 30 km) (E5)*

Tempels van Abu Simbel
★ Als u niet in Abu Simbel overnacht, zult u vroeg op moeten. In ongeveer vier uur kunt u de 280 km door de woestijn naar de tempels afleggen. Een uniek schouwspel: zonsopgang in de woestijn. De dagtocht wordt georganiseerd vanuit de hotels, maar ook door particuliere taxichauffeurs, prijs: LE 150 à 180. Om de vereiste ver-

gunning van de militairen te krijgen moet u de avond tevoren uw paspoort inleveren bij de chauffeur, die verder alles regelt. U doet er goed aan om op tijd te vertrekken: vanaf 9.00 uur wordt het gebied overspoeld met toeristen, die met vliegtuigen tegelijk uit Aswan worden aangevoerd.

De kolossen van Ramses II rijzen op tot 20 m hoogte: de tempels markeerden van oudsher de zuidgrens van Egypte en moesten de Nubiërs duidelijk maken wie hier voor het zeggen had. Ook de reliëfs met de slag tegen de Hettieten bij Kadesh, een favoriet motief van de farao, hadden vooral propagandistische betekenis: de slag verliep helemaal niet zo succesvol, maar eindigde hooguit onbeslist. Door de exacte oost-west-richting van het bouwwerk schijnt de zon op dag- en nachtevening (op 22 februari en 22 oktober) tot in het allerheiligste. De kleinste tempel is gewijd aan Hathor, maar vooral aan Ramses' gemalin Nefertari; zij is, net als hijzelf, in reusachtige afmetingen in steen vereeuwigd. Beide tempels werden met veel technisch vernuft gered toen ze door het stuwmeer dreigden te worden overspoeld. Het project uit de jaren 1965-1968 kostte 42 miljoen dollar en voorzag in een gigantische halve koepel van beton, waar de rotswand met zijn figuren bijna naadloos in paste. Gaat u maar eens binnen kijken: de tempel gaat 55 m diep de betonnen koepel in, maar ook binnen in de tempel, bij de muurschilderingen, is nergens te zien dat de hele tempel in stukken is gezaagd en op een hoge, veilige plaats opnieuw in elkaar is gezet. Nederland heeft voor zijn aandeel in de reddingsoperatie van de Egyptische regering een complete, kleine tempel kado gekregen, die te bezichtigen is op de binnenplaats van het Rijksmuseum voor Oudheden in Leiden. *Toegangsprijs: LE 15. Voor overnachtingen: Hotel Nefertari, 76 kamers, Abu Simbel, Aswan, tel. 097-324836/326841, fax 2825919, categorie 2*

Abu Simbel: vier 20 m hoge kolossen van koning Ramses II

Tempel van Kalabsja

Ook deze tempel dreigde in de watermassa van het stuwmeer onder te gaan, dus werd hij afgebroken en ten zuiden van de grote stuwdam opnieuw opgebouwd. In de tijd van de Romeinse keizer Augustus werd hij gewijd aan de Nubische god Mandalis. Hij is niet zo gemakkelijk toegankelijk, u moet tijdig toestemming vragen bij de autoriteiten in Aswan (militair terrein), verder hebt u alleen nog een boot nodig. (E5)

LUXOR

Een stad met 80.000 inwoners die leeft van het toerisme: baksjisj en opgeschroefde prijzen bepalen het beeld. Langs de – bij zonsondergang sfeervolle – Corniche staan de betere hotels bijeen en daar vlak achter begint de bazaarwijk, die doorloopt tot het station. In het oostelijke deel van de stad liggen de tempels van Luxor en Karnak, op de westoever ligt het beroemde Dal der Koningen, de tempel van Hatsjepsut, het Ramesseum en nog veel meer. Om al deze bezienswaardigheden te bekijken hebt u wel drie dagen nodig; helaas wordt de bezichtiging van de tempels door de meeste groepen in een ijltempo afgeraffeld.

Luxor is ten dele gebouwd op de ruïnes van Thebe, de hoofdstad van het Middenrijk en het Nieuwe Rijk, cultusplaats van Amon en religieus-cultureel centrum van een nog veel groter gebied. Van de vroegere pracht van deze residentie, die door Homerus werd bezongen als 'Thebe met de honderd poorten', zijn in de stad alleen nog de beide tempelcomplexen over, maar ook de unieke necropolis, waar alle koningen van het Nieuwe Rijk zijn bijgezet, is bewaard gebleven.

Bij de begraafplaatsen, met name in het Dal der Koningen, is de drukte vaak ronduit ergerlijk. Als u even verlost wilt zijn van de baksjisj-jagers, kunt u stijlvol uitblazen op het terras van het Old Winter Palace. Als u een wandeling maakt over het rotsplateau op de westoever, krijgt u behalve rust ook een grandioos ✍ uitzicht over het vruchtbare land en het rotsachtige woestijnlandschap eromheen.

In de stad rijden veel paardekoetsjes, meer dan LE 5 hoeven deze niet te kosten. Op de westoever is de fiets een handig vervoermiddel (te huur bij het station en bij verschillende hotels). U moet er wel op letten dat uw remmen en banden in orde zijn – een lekke band zal men met alle genoegen ter plekke voor u repareren, vanzelfsprekend tegen betaling van de nodige baksjisj. Omdat de afstanden tussen de verschillende vindplaatsen op de westoever aanzienlijk zijn, kunnen mensen die een beetje lui zijn uitgevallen het beste een taxi voor de hele dag huren – kosten: hoogstens LE 40 à 50 LE. Er is *een veerdienst tussen de beide oevers: het redelijk comfortabele toeristenveer en het volksveer, dat voor de overtocht een half uur nodig heeft.* (E4)

BEZIENSWAARDIGHEDEN

In het volgende overzicht worden de bezienswaardigheden niet in alfabetische volgorde opgesomd. Wij hebben de voorkeur gegeven aan een indeling naar geografische ligging.

Van de zes kolossen van Ramses II bij de tempel van Luxor zijn er twee bewaard gebleven

Tempel van Luxor

★ U vindt deze direct aan de Corniche. De tempel is gebouwd door Amenhotep III en Ramses II en gewijd aan de 'Thebaanse triade', waartoe de rijksgod Amon en de goden Chons en Mut behoren. Twee kolossen van Ramses II houden bij de ingang de wacht. Van de oorspronkelijke twee obelisken staat er nog maar één – zijn pendant tooit de Place de la Concorde in Parijs; Mohammed Ali heeft deze aan Frankrijk geschonken. Een indrukwekkende laan van sfinxen met mensenhoofden leidt naar de ingang, waar u op de pyloon de zoveelste uitbeelding van de slag bij Kadesh aantreft.

Direct links na de ingang vindt u de moskee van Abu el Haggag, die zijn leven en werk in dienst stelde van een sufibroederschap in het Luxor van de 11de en 12de eeuw. De moeite waard is zijn mulid op 14 Sjaaban (22 december 1996/11 december 1997). Dan wordt een boot in processie door de straten van de stad gedragen volgens een traditie waarin het Opet-feest van de faraotijd nog altijd duidelijk te herkennen is. 's Avonds baadt de tempel in het licht, voor velen de mooiste tijd voor een bezichtiging. U kunt ook de ✹ minaret van de moskee beklimmen – prachtig uitzicht op de tempel en de rivier. *Dag. 8.00-17.00 en 19.00-22.00 uur, toegang LE 15*

Tempel van Karnak

★ Niet ver van de Nijl, op ruim 3 km afstand van de tempel van Luxor, ligt dit uitgestrekte complex, waar door veel farao's aan gebouwd is. Al met al kan deze tempel bogen op een bouwgeschiedenis van maar liefst 2000 jaar. De nieuwere gedeelten liggen bij de tegenwoordige ingang, het oudste deel ligt helemaal in het oosten.

Het hart van het complex is de *Amon-tempel*, maar verreweg het bekendste deel is het 'zuilenwoud', 134 zuilen met papyruskapitelen links en rechts van de middengang. Breng ook een bezoek aan het openluchtmuseum links achter het hoofdcomplex – u vindt er een schrijn van de vrouwelijke farao Hatsjepsut en de *witte kapel* van Senostris I. In tegenstelling tot de drukte in en rond de tempel is het hier betrekkelijk rustig.

Twee obelisken staan hier nog overeind, de westelijke, gemaakt voor Thutmosis I, is bijna 20 m hoog en weegt 130 ton. De andere werd opgericht door Hatsjepsut en een derde, die is omgevallen, ligt bij het heilige meer. Dit meer werd door de priesters gebruikt voor rituele wassingen en bootceremoniën.

Aan het meer staat een cafetaria en daarnaast een reuzenscarabee die Amenhotep III heeft laten opstellen ter ere van de zonnegod Ra. Als u doorloopt naar het zuidelijke tempelterrein komt u langs de Israël-stèle (origineel in het Egyptisch Museum), met daarop de enige Oudegyptische vermelding van de Hebreeën.

Karnak is verwarrend door de omvang en het grote aantal heiligdommen. Door inlichtingen te vragen en de overzichtskaarten bij de ingang te raadplegen krijgt u al iets meer overzicht. Het verdient de voorkeur het complex laat in de middag te bezoeken, dan krijgt u misschien de kans deze plaats met zijn vele ruïnes te midden van de dadelpalmen iets rustiger op u te laten inwerken. Elke avond is er een klank- en lichtspel in verschillende talen. *Dag. 7.00-17.00 uur. Toegang LE 15, openluchtmuseum: LE 2 extra (E4)*

Westoever

Toegangskaarten voor de bezienswaardigheden kunt u alleen krijgen bij het ticketbureau aan de waterkant. Kaarten met reductie voor studenten worden verkocht door de inspectiedienst op het kruispunt achter de kolossen van Memnon.

Kolossen van Memnon

Ze zijn ongeveer 18 m hoog en alleen de voeten zijn al 3 m breed – deze reuzen bewaakten eens de nu volledig verdwenen dodentempel van Amenophis III. De noordelijke figuur werd bekend om zijn 'zingen': bij een aardbeving in het jaar 27 ontstonden er spanningen in de steen, waardoor

de kolos als hij door de zon verwarmd werd geluid ging geven. Dit duurde voort totdat hij in de Romeinse tijd werd gerestaureerd.

Dal der Koninginnen

In dit zijdal in het zuidwesten liggen circa 70 graven. Hier werden niet alleen koninginnen, maar ook prinsen begraven. Het graf van Nefertari, gemalin van Ramses II, is gerestaureerd en weer toegankelijk. *Extra toegang LE 35.* De overige graven zijn minder rijk uitgevoerd, enkele muurschilderingen hebben opmerkelijk frisse kleuren. *Toegang LE 15*

Medinat Habu

De dodentempel van Ramses III ligt nog verder naar het zuiden. De ingang doet sterk denken aan een vesting – de 'Syrische poort' is uniek voor Egypte. De vertrekken in de poort dienden als harem – deze zijn helaas niet toegankelijk. De tempel zelf heeft de gebruikelijke indeling: pyloon, voorhof, zuilenzaal, offerruimte en allerheiligste. Direct links van de ingang ligt een miniatuurversie van het koninklijk paleis – Ramses III wilde ook in het hiernamaals zijn vertrouwde omgeving niet missen.

Ramesseum

Langs de hoofdstraat in oostelijke richting ligt deze tempel, gewijd aan Amon en Ramses II. Het interessantste object van dit zwaar beschadigde tempelcomplex is de omgevallen kolos van Ramses II.

Deir el-Medina (dorp van de handwerkslieden)

Niet ver van het Dal der Koninginnen liggen de restanten van het dorp waarin de handwerkslieden en kunstenaars woonden die werkten aan de graven in het Dal der Koningen.

Graven van de edelen

In dit gebied bevinden zich ook begraafplaatsen van ambtenaren en hoogwaardigheidsbekleders. Niet alle graven zijn toegankelijk, maar in de graven die open zijn bevinden zich deels zeer goed bewaarde reliëfs, bijvoorbeeld scènes uit het boerenleven en een afbeelding van vrouwelijke muzikanten in het graf van Nacht. In het graf van Ramose wordt de stilistische overgang naar de schilderingen van de Amarnische periode zichtbaar.

In de dorpjes rechts en links van de hoofdweg worden albasten vazen gemaakt – deze zijn hier veel goedkoper dan in Cairo. Let u ook eens op de 'pelgrimshuisjes': veel bewoners hebben hun huis beschilderd met scènes uit Mekka of van de reis daarnaartoe.

Tempel van Hatsjepsut

★ Links van de hoofdweg splitst zich de weg naar Deir al-Bahri af, waar de Tempel van Hatsjepsut voor u opdoemt. Het architectonische meesterwerk, nagelaten door de enige vrouw op de troon van de farao's, is op indrukwekkende wijze in het landschap geïntegreerd. Door middel van drie terrassen is het hoogteverschil overwonnen, helemaal boven ligt de eigenlijke dodentempel. *Toegang LE 10*

Dal der Koningen

★ Het hoogtepunt van elk bezoek aan Luxor. Het laatste – en grootste – graf is pas in 1995 gevonden; alle 65 graven stammen uit

Terrasvormige opbouw van de tempel van Hatsjepsut: landschap en architectuur vormen een eenheid

het Nieuwe Rijk (18de-20ste dynastie). Het is onmogelijk op één reis alle begraafplaatsen te bezoeken: er is altijd wel een deel gesloten. De stromen toeristen tasten met hun zweet en adem in snel tempo de kleuren van de muurschilderingen aan, die al duizenden jaren hebben overleefd. Ook fotograferen is streng verboden, omdat het flitslicht schadelijk is voor de kleuren. Tot de mooiste graven behoren nr. 9 (Ramses VI), nr. 17 (Sethos I) en nr. 34 (Thutmosis III). Het beroemdste graf is dat van Toetanchamon, nr. 62. De graven zijn genummerd in de volgorde waarin ze ontdekt zijn. Veel koningsmummies uit de graven hebben nu een rustplaats in het Egyptisch Museum in Cairo.

Wie de sfeer van dit geïsoleerde dal wil proeven, moet vroeg in de morgen komen of laat in de middag, als er verder nog niet zo veel mensen zijn. Ook bij een beklimming van de omliggende bergen, over een smal rotspaadje dat naar Deir al-Bahri loopt, is er iets van de typische sfeer te proeven. Het ☙ uitzicht boven is fantastisch en zorgt ervoor dat u de inspanning van het klimmen gauw weer vergeten zult zijn.

Dodentempel van Sethos

Deze tempel vormt een mooie afsluiting van uw tocht, op circa 4,5 km van het Dal der Koningen. Sethos I liet de tempel bouwen voor zichzelf en zijn vader Ramses I, maar Ramses II voltooide hem. Het is mogelijk dat de tempel wegens restauratiewerkzaamheden gesloten is.

MUSEUM

Museum van Luxor

Ideale inleiding in de geschiedenis en de kunst van Thebe. In 1976 werd dit kleine, maar uit didactisch oogpunt zeer goed opgezette museum geopend. Verdeeld over twee verdiepingen, worden hier voornamelijk stukken uit het Nieuwe Rijk en met name uit de 18de dynastie getoond. Bijna alle voorwerpen komen uit de directe omgeving. *Dag. 16.00-21.00 uur, 's zomers 17.00-22.00 uur, toegang LE 8*

RESTAURANTS

Het best kunt u gaan eten in een van de vele hotels aan de Corniche, de meeste hebben een tuin of een veranda.

Hotel-Restaurant Luxor

Met een veranda waar het goed toeven is, voor een drankje en een etentje bent u hier aan het goede adres. *10 Sjaria Maabad Luxor, tel. 095-384912, categorie 2*

Marhaba

Bij Marhaba, in de toeristenbazaar naast het New Winter Palace

(Corniche), krijgt u Egyptische gerechten. *Categorie 2-3*

Restaurant Savoy

Dit restaurant in het gelijknamige hotel heeft net zo'n mooie veranda als het Luxor.

WINKELEN

De bazaar van Luxor is vooral een plek waar toeristen de grootst mogelijke kitsch wordt aangesmeerd, en dat voor fantasieprijzen. Ook onder de arcaden van het Winter Palace zijn de gangbare souvenirs te koop – een kwestie van smaak, laten we het daar maar op houden.

HOTELS

Hotel Emilio

Het Emilio is goed en niet te duur. 48 kamers. *Sjaria Yussef Hassan, tel. 095-383570/384884, fax 384884, categorie 2*

Jolie Ville

In een heel andere omgeving ligt het Mövenpick Jolie Ville, te midden van een weelderige tuin op een eilandje in de Nijl. 320 kamers. *Crocodile Island, tel. 095-384855, fax 384936, toegankelijk voor rolstoelgebruikers, categorie 1*

Mena Palace

Ook voor dit hotel geldt: voordelig en goed. 40 kamers. *Direct aan het water aan de Corniche, tel. 095-382074, categorie 3*

Old Winter Palace

Het sfeervolst is het Old Winter Palace, een voormalige residentie van de koningen van Egypte. 260 kamers. *Corniche el-Nil, tel. 095-580422/3, fax 384087, categorie 1*

Santa Maria
Eveneens een prima adres voor de smalle beurs. 48 kamers. *Sjaria Television, tel.* 095-382603/580522/3, *categorie 3*

Hotel Savoy
Ook in het Savoy slaapt u voor niet al te veel geld. 108 kamers. *Sjaria el-Nil, tel.* 095-382200/580522/3, *categorie 2-3*

UITGAAN

U kunt langs de Corniche flaneren of een terrasje pikken; in het Old Winter Palace vindt u een nachtclub met buikdanseressen en slangenbezweerders.

INLICHTINGEN

Tourist Information
Bij de toeristenbazaar naast het New Winter Palace, tel. 822150

Toeristenpolitie
Tel. 095-822120

Reisbureaus
Onder de arcades bij het Old Winter Palace zitten veel reisbureaus, ook daar kunt u terecht voor inlichtingen.

UITSTAPJES

Abydos
Circa 160 km stroomafwaarts van Luxor ligt een van de oudste en belangrijkste plekken van de Oudegyptische geschiedenis. Al in de Prehistorie diende Abydos als necropolis, hier vlakbij moet This gelegen hebben, de eerste hoofdstad van het rijk. Hier bevinden zich ook koningsgraven uit het Oude Rijk.
Deze oeroude cultusplaats was al

vroeg met mythen omgeven; zo zou een opening in de westelijke bergketen de ingang van de onderwereld geweest zijn. Ook zou het hoofd van Osiris, onder deze door Seth in stukken gehakt was, hier zijn begraven. Reeds ten tijde van het Oude Rijk werden er al ware pelgrimstochten naar Abydos gehouden; vooral toen de wedergeboorte niet langer een voorrecht van koningen was, maar ook voor normale stervelingen bereikbaar werd. Elke mummie maakte de mythische reis naar Osiris, er vonden mysteriespelen plaats; veel stèles, die door pelgrims werden opgericht, maken melding van de daarmee gepaard gaande feesten.
Het belangrijkste bouwwerk is de tempel van Sethos I met enkele bijzonder mooie reliëfs uit het Nieuwe Rijk. Ramses II liet de tempel van zijn vader voltooien, voor historici was met name de 'koningslijst' interessant – Sethos heeft daarin een bijna volledige reeks van zijn voorgangers laten optekenen. Eind 1991 is hier een hele vloot boten gevonden, die lijken op de zonneboten bij de piramiden van Gizeh. *Vanaf Luxor kunt u het best een taxi nemen, waarbij u van tevoren een prijs kunt afspreken* (D4)

Dendera
Op ruim 60 km van Luxor bevindt zich de voormalige cultusplaats van de godin Hathor, die hier samen met haar zoon Ihi sinds het Oude Rijk werd vereerd. De tempel die er nu staat, dateert echter uit de tijd van de Ptolemaeën; ook de Romeinen en de Kopten hebben hier sporen achtergelaten. Opmerkelijk is de voor Egypte unieke uitbeelding van de

Reliëf aan de tempel van Hathor

dierenriem, helaas betreft het slechts een kopie, het origineel bevindt zich in het Louvre.

Een van de zeldzame afbeeldingen van Cleopatra, met haar zoontje Caesarion, is te bewonderen in een reliëf aan de zuidelijke buitenwand van de tempel. *Toegang LE 6 (E4)*

Edfu

★ Ruim 100 km ten zuiden van Luxor ligt de best bewaard gebleven tempel van Egypte, de Horustempel van Edfu. Ook deze stamt uit de tijd van de Ptolemaeën. Het symbool van deze tempel is een zwarte valk van graniet – het is Horus, de valkengod, die hier zijn eigen heiligdom bewaakt. Op talloze reliëfs wordt de mythe van Osiris uitgebeeld, met Horus, de zoon van Osiris, in gevecht met Seth, de moordenaar van zijn vader. *Toegang LE 10 (E5)*

Esna

Bijna 60 km ten zuiden van Luxor ligt Esna met zijn tempel, eveneens uit de tijd van de Ptolemaeën. De Romeinen hebben het complex uitgebreid, van hen komt ook de voorstelling van een Romeinse keizer uitgedost als farao. (E4)

Kom Ombo

Direct aan de Nijl, op een rotsplateau dat uitziet over het water, ligt de tempel van Kom Ombo. Opmerkelijk is de tweedeling van deze cultusplaats, die zowel aan Horus als aan de krokodillengod Sobek is gewijd. Het mooist is het tempelcomplex bij zonsondergang. Esna, Edfu en Kom Ombo zijn per taxi of bus van Luxor uit te bereiken; romantischer is de reis met een felouk, die u bij de Corniche kunt huren. *Toegang LE 10 (E5)*

Sohag

Het stadje Sohag, gelegen halverwege Asyut en Luxor, is vooral bekend om de twee Koptische kloosters in de naaste omgeving. *Deir al-Abiad*, het witte klooster, is genoemd naar de zware kalksteenmuren, die het heiligdom het aanzien van een witte vesting geven. St.-Shenuda, de Koptische heilige, stichtte het in 440 n.C., in zijn bloeiperiode telde het 2000 monniken.

Het rode klooster (*Deir al-Ahmar*), ruim 5 km naar het noorden, werd ongeveer in dezelfde tijd opgetrokken uit rode baksteen. De twee kloosters komen in plattegrond overeen; naast een basiliek omvatten ze woon- en werkruimten. (D4)

EL-MINYA

Deze levendige universiteitsstad aan de westoever van de Nijl telt 200.000 inwoners en is de hoofdstad van de omliggende provincie. De handel in katoen bezorgde de stad een zekere rijkdom. De stad strekt zich uit langs de rivier, en wordt in het westen begrensd door het Ibrahimiya-kanaal. Vooral op maandag (marktdag) gaat het er levendig aan toe in de ✪ souks. (D3)

BEZIENSWAARDIGHEDEN

Deir el-Adra
Het 'klooster van de Heilige Maagd' ligt ruim 20 km ten noorden van El-Minya aan de oostkant van de Nijl. Volgens de legende is het in de 4de eeuw door keizerin Helena gesticht. (D3)

Koepelgraven van Saujat el-Amwat/Saujat el-Maitin
★ Op de rechter (oostelijke) Nijloever, circa 7 km in zuidoostelijke richting, ligt de stad van de koepelgraven. Nog steeds begraven de inwoners van El-Minya hier hun doden. Drie keer per jaar bezoeken ze hun overleden familieleden. Ze leggen dadels en palmtakken op de graven en houden tussen de graven een soort volksfeest.
Het beste ☀ uitzicht op de zee van koepels hebt u vanaf de 'rode heuvel' (*Kom el-Ahmar*) ten zuiden van de necropolis, hier vindt u graven uit de farao-tijd.

Rotsgraven van Beni Hassan
Ongeveer 20 km ten zuiden van El-Minya, in de buurt van Abu Qurkas, bevinden zich op de oostelijke oever van de Nijl de graven van vorsten uit de 11de en 12de dynastie. *U kunt het beste vanaf El-Minya een taxi nemen en vanaf Abu Qurkas de boot.* (D3)

RESTAURANT

Café-Restaurant Nanni
✪ Aan de Corniche ligt Café-Restaurant Nanni in een schaduwrijke tuin, waar het aangenaam toeven is. *Categorie 3*

HOTELS

Pullman Azur Nefertiti
Het beste hotel van El-Minya, gelegen in een mooie tuin. *Corniche el-Nil, tel. 086-326281/326282, categorie 1-2*

Ibn Khassib Hotel
Een eenvoudig, maar uitstekend hotel. 20 kamers. *5 Sjaria Ragab, tel. 086-224535, categorie 3*

INLICHTINGEN

U doet er verstandig aan om voor vertrek nog in Cairo informatie over El-Minya en omgeving te verzamelen, maar ook in de genoemde hotels kan het personeel u van dienst zijn.

UITSTAPJE

Hermopolis
Op ruim 40 km van El-Minya, dicht bij het dorpje Al-Ashmunain, liggen antieke ruïnes. Het zijn resten uit het Middenrijk en het Nieuwe Rijk, enkele zuilen van de tempel van Thot en een Ptolemaeïsche stadsaanleg.
Van de voormalige christelijke basiliek is alleen een aantal Corintische zuilen bewaard gebleven. Ongeveer 6 km naar het westen ligt Tuna al Gabal, de dodenstad. *40 km van El-Minya, te bereiken per taxi* (D3)

Wijn uit de delta, en dan naar het strand

Proef de mediterrane levensvreugde aan sneeuwwitte stranden langs een turkooisblauwe zee

Als u vanaf Cairo door de delta naar Alexandrië rijdt met het landschap van Opper-Egypte nog vers in uw geheugen, is de overgang wel erg groot – het land is zo plat als een dubbeltje, en in plaats van door geel woestijnstof wordt het beeld bepaald door fris groen.

De Nijldelta is de moestuin van Egypte, hier groeien groente, fruit, rijst, maïs en katoen. Elke meter land is bebouwd en sinds de bouw van de Aswandam maakt de constante watertoevoer van de Nijl meerdere oogsten per jaar mogelijk. De delta is ook het land van de wijn; de traditie van de Egyptische wijnbouw gaat terug tot de tijd van de Ptolemaeën. Als u door dit landschap rijdt komt u vanzelf in aanraking met het leven van de fellah's, met hun gezwoeg op de velden, maar ook met hun aanstekelijke spontaniteit en hun vriendelijke instelling tegenover vreemden. Bezienswaardigheden uit de Oudheid

Het mooie oude Alexandrië, dat door zijn vele vrienden liefdevol 'Alex' wordt genoemd

zijn er in de delta nauwelijks te vinden – de antieke plaatsen werden in de loop der tijden gewoon ondergeploegd.

Normaliter rijden toeristen alleen door de delta om in Alexandrië te komen, maar u zou een tussenstop kunnen maken in Tanta. De hoofdplaats van de delta heeft een mooie moskee, is echter vooral bekend om de mulid van de plaatselijke heilige Said al-Badawi, waar elk jaar duizenden pelgrims op af komen. In drie uur kunt u (per trein) van Cairo naar Alexandrië reizen; de meeste reizigers kiezen deze comfortabele manier om in de stad van Alexander de Grote en Cleopatra te komen.

De voormalige 'parel van de Middellandse Zee' is ondertussen ook niet meer wat hij geweest is. Vrijwel nergens is te zien dat zich hier ooit het intellectuele en culturele centrum van de laat-klassieke wereld bevond, waar Euclides onderwees, de neoplatonisten hun filosofie ontwikkelden en Eratosthenes tot het inzicht kwam dat de wereld een bol moest zijn. De stad is aantrekkelijker door de sfeer dan door de paar antieke monumenten die er nog zijn. Het leven is hier luchtiger en mediterraner dan op andere plaatsen in Egypte.

Alexandrië is tegenwoordig een populaire badplaats, al liggen de mooiste stranden buiten de stad. Egyptenaren die willen genieten van zon en zee rijden vaak nog verder naar het westen, naar *Mersah Matruh* – dit deel van de kust is een van de mooiste, hier liggen schitterende baaien tegen een achtergrond van sneeuwwitte rotsen. Op de weg erheen komt u langs Sisi Abdul Rahman en de gedenkplaatsen van El-Alamein, waar Rommel in de Tweede Wereldoorlog vernietigend verslagen werd. De gigantische militaire begraafplaatsen – 90.000 doden zijn hier gevallen – zorgen in dit verlaten landschap voor een gevoel van beklemming.

Ten oosten van Alexandrië liggen *Rosetta* (Rashid) en *Damietta* (Dumyat). De eerste plaats werd bekend door de drietalige inscripties van de 'steen van Rosetta', die de ontcijfering van het hiërogliefeschrift mogelijk maakte. Het tegenwoordige stadje doet pittoresk aan met zijn moskeeën en hoge bakstenen huizen. Het is ook de plaats waar de westelijke arm van de Nijl in zee uitkomt. Damietta heeft zich ontwikkeld tot een grote zeehaven; hier ligt de monding van de oostelijke arm.

Er is nog een tweede route van Cairo naar Alexandrië mogelijk; deze loopt door de woestijn langs de Koptische kloosters van *Wadi Natrun*. Ooit waren het er zo'n vijftig, nu zijn er nog maar vier. Als vestingen staan ze in het landschap – bolwerken van een kluizenaarstraditie die teruggaat tot de 4de eeuw en die tegenwoordig weer een beetje lijkt op te leven.

ALEXANDRIË

Badplaats en moderne metropool – ruim 3 miljoen inwoners heeft deze stad nu, en elke zomer komen daar nog duizenden toeristen bij, zowel Egyptenaren als buitenlanders. De haven vormt Alexandriës verbinding met de wereld, al is momenteel alleen de westelijke haven nog in gebruik; de oostelijke baai, omzoomd door hoogbouw en hotels, is ideaal als promenade, om te flaneren bij een verkoelend briesje uit zee langs de kilometerslange Corniche, die tot het Montazah-paleis doorloopt, een voormalige residentie van de koningen van Egypte. Naar het zuiden vormt het Maryut-meer de natuurlijke begrenzing, daarom groeit Alexandrië in de breedte; ook ten westen van de haven liggen voorsteden met stranden en vakantiedorpen.

In de Oudheid lag het eiland Pharos voor de haven in zee – hier stond de vuurtoren die geprezen werd als een van de zeven wereldwonderen en waarvan de fundamenten opgenomen zijn in de vesting Qait-Bay.

Een eiland is Pharos al lang niet meer, het werd met het vasteland verbonden door middel van een dam, die tegenwoordig zo breed is dat hij plaats biedt aan verschillende wegen naast elkaar. De binnenstad sluit op de dam aan. De winkelwijk Atarin maakt plaats voor steeds elegantere winkelstraten naarmate u verder in oostelijke richting gaat. Tussen Midan Tahrir en de Sjaria Nabi Danyal ligt het centrum, waar niets meer herinnert aan het roemrijke verleden van Alexandrië. Toch is de Griekse invloed nog merkbaar – nog altijd, beter gezegd opnieuw, wonen er circa 60.000 Grieken in de stad en zijn er veel Griekse restaurants.

In de loop van de geschiedenis had Alexandrië zo zijn ups en downs, als de wisselingen van het getij: de haven en de zee brachten de economische welvaart terug, die in de loop der eeuwen bijna verloren was gegaan. Alexander de Grote stichtte de stad in 332 v.C. als Griekse vestiging aan de kust van de Levant. De Ptolemaeën kozen Alexandrië als hoofdstad; toen Cleopatra hier zelfmoord pleegde, telde de metropool al 500.000 inwoners en was hij uitgegroeid tot het culturele en wetenschappelijke middelpunt van het hele Middellandse-Zeegebied.

Het Museion en de beroemde bibliotheek trokken geleerden uit allerlei vakgebieden. Ook onder Romeinse voogdij behield Alexandrië zijn vooraanstaande positie en het geestelijke klimaat verslechterde pas onder invloed van christenvervolgingen en pestepidemieën. Al in de 1ste eeuw n.C. kwam hier de nieuwe religie tot bloei en later ontstond hier een Koptisch centrum met talloze vestigingen.

De stad heeft altijd met het gezicht naar zee, naar Europa gekeerd gelegen – tegenwoordig is Alexandrië hecht verbonden met het binnenland, echter zonder zijn eigen unieke atmosfeer te verliezen. Het mengsel van oosterse en Europese invloeden, van herinneringen aan het verleden gecombineerd met het zachte Middellandse-Zeeklimaat, maakt Alexandrië tot een fascinerende stad. (C1)

MARCO POLO-TIPS: DE NIJLDELTA

1 Amfitheater Kom el-Dik
Het enige amfitheater van Egypte, waar de opgravingen nog steeds gaande zijn (bladzijde 70)

2 Stadswijk Atarin
Een goudmijn voor liefhebbers van antiek en tweedehandsspullen (bladzijde 72)

3 Zonnen en zwemmen aan de kust bij Mersah Matruh
Genieten van de sneeuwwitte stranden en de heldere, turkooisblauwe zee (bladzijde 74)

4 Grieks-Romeins Museum
Het museum biedt een boeiende en leerzame kennismaking met een belangrijke periode in het grootse verleden van Alexandrië (bladzijde 71)

5 Koptische kloosters van Wadi Natrun
De vier nog overgebleven kloostercomplexen uit de 4de eeuw vormen een indrukwekkende getuigenis van de christelijke cultuur in Egypte, midden in de dorre woestijn (bladzijde 73)

BEZIENSWAARDIGHEDEN

Fort Qait-Bay

Sultan Ashraf Qait-Bay liet deze vesting in de 15de eeuw bouwen op de resten van de oude vuurtoren van Pharos. Het fort domineert de oostelijke haven en kan worden bezichtigd. Er is een klein scheepvaartmuseum in gevestigd. *Het fort ligt aan het eind van de Sjaria 26 July. Dag. 9.00-16.00 uur, vrijdag middagpauze 11.30-13.30 uur*

Catacomben van Kom el-Sjukafa

Deze grootste Romeinse begraafplaats van Egypte is in de rotsbodem uitgehouwen. In de 1ste en 2de eeuw n.C. zijn de graven drie verdiepingen hoog aangelegd. Ze vertonen een interessante mengelmoes van Egyptische, Griekse en Romeinse stijlelementen. *Sjaria Abu Mansara, zuidwestelijk van de wijk Atarin. Dag. 9.00-16.00 uur, vrijdag middagpauze 11.30-13.30 uur*

Moskee van Abu el-Abbas el-Mursi

De moskee stamt uit de late 18de eeuw en is gebouwd boven het graf van sjeik Abu el-Abbas, die in de 13de eeuw leefde, en wordt beschouwd als een meesterwerk van islamitische architectuur. *Niet ver van Fort Qait-Bay aan de Sjaria 26 July*

Necropolis van Anfushi

Op het voorplein van het Ras-el-Tin-paleis ligt de toegang tot deze Griekse rotsgraven uit de 2de eeuw v.C., gebouwd in een gemengd Grieks-Egyptische stijl. De marmer- en albastdecoraties zijn niet echt, maar opgeschilderd. *Dag. 9.00-16.00 uur, vrijdag middagpauze 11.30-13.30 uur*

Het oude centrum van Alexandrië heeft een geheel eigen charme

Ras-el-Tin-paleis

Boven de toegang tot de westelijke haven rijst het slot van Mohammed Ali op, dat door de Egyptische koningen tot het einde toe als residentie is gebruikt. Voor het publiek is het paleis helaas niet toegankelijk, het doet ook nu nog dienst bij officiële gelegenheden. *Toegangsweg via de Sjaria Bahariya, langs de haven naar het noorden*

Amfitheater Kom el-Dik

★ Als u de Sjaria Nabi Danyal afrijdt richting Centraal Station, stuit u op de ruïnes van het in 1963 opgegraven, enige amfitheater van Egypte. De opgravingen worden nog voortgezet; tot nu toe zijn resten van Romeinse baden, gebouwen en wegen gevonden, alle uit de 3de eeuw n.C. *Dag. 9.00-16.00 uur, vrijdag middagpauze 11.30-13.30 uur*

Zuil van Pompeus

Als een van de weinige overblijfselen van het complex van het Serapeum, het heiligdom van de

Egyptisch-Griekse godheid Serapis, bleef deze imposante zuil bewaard. Hij werd in 300 n.C. opgericht ter ere van Diocletianus. Met 27 m is dit het hoogste monument uit de Oudheid in Alexandrië, gehouwen uit het roze graniet van Aswan. *Per taxi naar de Sjaria el-Sawari*

TUINEN EN PARKEN

Alexandrië heeft bijzonder fraaie parken en plantsoenen, van de tuin van het Montazah-paleis aan het strand ten oosten van de stad tot de Nusha- en Antoniadis-tuinen in het zuidoosten, waar ook de dierentuin van Alexandrië ligt. Door hun rijke subtropische plantengroei en weldadige stilte zijn deze beide parken langs het Mahmudiya-kanaal heerlijk om in bij te komen van het lawaai en de drukte in het centrum. *Per taxi tot de Midan Ismail Sirri, daar begint de 'groene long'*

MUSEA

Grieks-Romeins Museum
★ Het museum bezit een interessante collectie Griekse en Romeinse voorwerpen, die de tijd van 300 v.C. tot 300 n.C. bestrijken en zo een belangrijke periode in de geschiedenis illustreren. Alle stukken zijn afkomstig uit Alexandrië of omgeving. *Museumstraat Sjaria Mathaf, hoek Sjaria Hurriya, in het westen van de stad, tel. 4825820, dag. 9.00-16.00 uur, vrijdag middagpauze 11.30-13.30 uur*

Hydrobiologisch Museum
Tegenover het Fort Qait-Bay ziet u in 50 aquaria de fauna van de Middellandse-Zeekust en de Rode Zee. *Dag. 9.00-14.00 uur*

Juwelenmuseum
Dit museum achter de residentie van de gouverneur bezit een verzameling kroonjuwelen van Egyptische koningen, van Mohammed Ali tot Faruk. Ook het gebouw zelf is interessant door zijn architectuur. *27 Sjaria Ahmad Yahia in het stadsdeel Gleem, dag. 9.00-16.00 uur, vrijdag middagpauze 11.30-13.30 uur*

RESTAURANTS

Aan de kust worden vooral vis en andere zeedieren geserveerd, bijzonder goed zijn de reuzengarnalen (*gambari*) in knoflooksaus. (C1)

Athineos
Heeft spiegels aan de wanden en biedt Oriëntaals/Franse keuken. Het café is al vanaf 7.00 uur geopend. Er is ook een nachtclub. *21 Sjaria Saad Zaghloul, tel. 4828131, categorie 2-3*

Pastroudis
Café met terras, restaurant en bar. Kreeg bekendheid door Lawrence Durrells roman The *Alexandria Quartet*. *39 Sjaria el-Hurriya, tel. 4929609, categorie 2-3*

San Giovanni
In dit hotel-restaurant serveert men u voortreffelijke vis. *205 Sjaria el-Geish, bij de Corniche, tel. 690280/848178, categorie 2*

Santa Lucia
Restaurant in het centrum, populair om zijn goede Europese, vooral Italiaanse, keuken. Hier is ook een nachtclub gevestigd, waar u naar het buikdansen kunt kijken. *40 Sjaria Safiya Zaghloul, tel. 4820332, categorie 2*

Seagull
In het westen van de stad, serveert eveneens vis en andere zeedieren. *Voorstad El-Max, Sjaria Agami, tel. 4455575, categorie 2*

Sephyrion
Gaat door voor de beste zaak van de oostelijke voorstad Abu Qir. Neem een taxi naar het restaurant dat iedereen in dit stadje kent en vlak aan zee ligt, het loont de moeite van het extra ritje. Net als in Griekenland kunt u hier in de keuken zelf vis uitzoeken. *Tel. 971319, categorie 2-3*

WINKELEN

Wijk Atarin
★ Ten zuiden van de Sjaria Mitwalli, tot aan de Sjaria Nabi Danyal in het oosten ligt de wijk Atarin, die bestaat uit hele straten met antiekwinkeltjes en tweedehands-zaken. U kunt hier uren rondlopen, ook de zijstraatjes zijn de moeite waard. Op de 'vlooienmarkt' vindt u allerlei voorwerpen, glas en porselein van rond de eeuwwisseling. Interessant zijn ook de antiquariaten, waar u vaak mooie spullen op de kop kunt tikken.

Moderne winkelstraten
Tussen de Sjaria Mitwalli in het zuiden, de Sjaria Nabi Danyal in het oosten, de Corniche in het noorden en de Midan el-Tahrir in het westen vindt u moderne winkelstraten met boetieks en de kantoren van luchtvaartmaatschappijen.

Souks – het dagelijks leven van Alexandrië
❖ Ten noordwesten van de Midan el-Tahrir vindt u de souks, waar u naar hartelust het dagelijks leven in de stad kunt observeren.

HOTELS

Als u een strandvakantie wilt houden, kunt u het beste een hotel aan de oost- of westkust kiezen: daar liggen de mooiste stranden. Het openbare strand dat tegen het centrum van de stad ligt, wordt aanzienlijk slechter onderhouden.

Acropole
In het centrum van Alexandrië. Een beetje ouderwets, maar heel gezellig. 82 kamers. *Sjaria Saad Zaghloul, tel. 03-4821467/66, categorie 2-3*

Cecil Pullman
Om zijn ontspannen atmosfeer is het aloude Cecil's aan de Midan Zaghloul aan te bevelen – al tientallen jaren een begrip wat betreft ouderwetse charme en stijl. 87 kamers. *16 Midan Zaghloul, Ramlah Station, tel. 03-807055/807532, fax 807250, categorie 2*

Hannoville
In de westelijke voorstad Agami. 157 kamers. *Hannoville Beach, tel. 03-4303258/4303138, categorie 2-3*

Montazah-Sheraton
Het luxueuze Montazah-Sheraton ligt ver buiten de stad aan de Corniche. 307 kamers. *El-Corniche, tel. 03-5480550/5480221, fax 872848, toegankelijk voor rolstoelgebruikers, categorie 1*

Palestine
In het Montazah-park, naast het oude koninklijk paleis en aan het strand. 210 kamers. *Montazah-Palace, Corniche, tel. 03-5474033/5473500, fax 5473378, toegankelijk voor rolstoelgebruikers, categorie 1*

UITGAAN

Buikdansen is hier iets minder populair. De mensen zitten tot laat in de nacht in een van de vele cafés aan de Corniche of wandelen heen en weer over de boulevard. Natuurlijk bieden de grote hotels (Sheraton, Ramada) ook de gebruikelijke nachtclubprogramma's, maar u proeft veel meer van de atmosfeer van de stad tijdens een uitgebreide wandeling.

INLICHTINGEN

Tourist Information
Midan Saad Zaghloul, tel. 807985 en Ramlah-station in het oosten van de stad, tel. 807611/803929

UITSTAPJES

Abu Qir
Ooit versloeg de legendarische admiraal Nelson hier de Franse vloot, waardoor Napoleon zich gedwongen zag naar Frankrijk terug te keren; tegenwoordig is Abu Qir al bijna een buitenwijk van Alexandrië. U kunt het ook overslaan, want te zien is er eigenlijk niet veel. (D1)

El-Alamein
Ruim 100 km ten westen van Alexandrië. In 1942 speelde zich hier de veldslag af waarin het Duitse Afrika-Korps werd verslagen. Oorlogsgraven, een oorlogsmuseum en gedenktekens voor de onbekende soldaat houden de herinnering aan die tijd levend. (C1)

Abu Mina
Ruim 20 km in zuidelijke richting ligt het *Menas-klooster*, overblijfsel van een schitterende stad uit de 5de en 6de eeuw. Te midden van de ruïnes liggen de Arkadios-basiliek, twee kerkjes, een kerkhof en twee putten uit de Romeinse tijd. (C1)

Rosetta
De steen die de ontcijfering van het hiëroglifenschrift mogelijk maakte, bevindt zich tegenwoordig in het British Museum in Londen. In het stadje aan de westelijke Nijlarm zijn moskeeën te zien (*Zaghloulmoskee*) en mooie oude huizen in opvallende baksteenbouw met uitstekende kroonlijsten. Op ongeveer 45 km van Alexandrië in oostelijke richting is het stadje goed voor een aardig dagtochtje langs dadelpalmbossen en kleine dorpjes. (C1)

Tempel van Abusir
Op ruim 45 km ten westen van Alexandrië liggen de ruïnes van het *Osiris-heiligdom* en de oude stad *Taposiris*. In de Romeinse tijd was dit de havenplaats van de pelgrimsstad Abu Mina, met een vuurtoren zoals die van Pharos die bewaard is gebleven. U kunt boven op de pyloon van de Osiristempel komen, vanwaar u een interessant ◥ uitzicht hebt. (C1)

Wadi Natrun
★ De kloosters in de Wadi Natrun kunt u bereiken via de woestijnweg die Cairo met Alexandrië verbindt. De vier bewaard gebleven kloostercomplexen liggen ongeveer halverwege; ooit waren het er veel meer. Het dal is genoemd naar het natron dat in deze streek wordt gewonnen wanneer de vele meertjes 's zomers droogvallen. Vroeger werd het natron gebruikt om te balsemen, tegenwoordig om linnen te ble-

ken en ook bij de fabricage van glas.

In deze kloosters uit de 4de eeuw wordt de traditie van het ascetische monnikenleven nog steeds in stand gehouden, de gebouwen zijn daarom niet permanent voor bezoekers geopend. In bouwstijl vertonen ze sterke overeenkomsten en ze zijn alle vier omringd door muren die tot 10 m hoog zijn. Uit de 9de eeuw dateren alleen nog sommige gebouwen van de *Deir Amba Baramus*.

Alle andere kloosters werden in de loop der eeuwen, maar vooral ook de laatste jaren, op grote schaal uitgebreid. De belangstelling voor het monnikenleven is weer toegenomen onder jonge Koptische mannen. Van hen wordt echter wel verwacht dat ze voor hun intrede in het klooster eerst een beroep leren. Wanneer u de kloosters, naast *Deir Amba Baramus* nog *Deir Amba Bishoi*, *Deir el-Surjan* en *Deir Abu Makar*, wilt bezichtigen hoeft u geen entree te betalen, maar een kleine bijdrage wordt buitengewoon op prijs gesteld.

In het wegrestaurant aan de woestijnweg, niet ver van de kloostercomplexen, kunt u een verfrissing gebruiken. Veel reisbureaus en andere toeristenorganisaties verzorgen excursies naar Wadi Natrun, waar u ruim een halve dag voor moet uittrekken. Hotels regelen ook wel taxi's voor dit uitstapje. (D1)

MERSA MATRUH

★ Op 286 km van Alexandrië is dit voor toeristen het eindpunt van de kustweg, die rechtstreeks naar de Libische grens voert. Deze plaats heeft ongeveer 20.000 inwoners en beschikt over enkele bijzonder mooie baaien. Ook vindt u er een lagune met rustig water. Voor de kust liggen banken van kalksteen, waar een veerboot naartoe gaat, zodat u van het ene strand naar het andere kunt pendelen.

De stad heeft een eenvoudige plattegrond met haaks op elkaar staande straten, en u kunt er zowel met de auto als met de trein komen. In het zuiden van de stad ligt het station, een lange, rechte straat voert vandaaruit rechtstreeks naar het strand, waar aan de Corniche het gemeentehuis, de toeristeninformatie en de PTT te vinden zijn.

Eens liet Cleopatra hier een paleis bouwen, waarvan alleen het 'bad van Cleopatra' bewaard is gebleven: een bassin in de rotsbodem dat ongeveer 9 km ten westen van de tegenwoordige stad te vinden is. Nog verder naar het westen, 24 km van de stad verwijderd, ligt het strand van *Ageeba* aan een wondermooie baai. In de zomermaanden is het in Mersa Matruh goed toeven, maar zijn de stad en de stranden helaas ook overvol. (B1)

Vruchtbaar landschap langs de Nijl

RESTAURANTS

Alle hotels die hieronder worden besproken beschikken ook over een restaurant. Een groot aantal hotels en restaurants buiten Cairo is van oktober tot mei gesloten, daarna begint het nieuwe seizoen weer.

HOTELS

Beau Site
Aan het eind van een landtong ligt het Beau Site, dat vroeger het mooiste hotel van de stad was. *Sjaria el-Shaty, tel. 03-942066/943319, categorie 2*

Hotel Negresco
Dit redelijk sobere hotel vindt u aan de westkant aan de boulevard. *Tel. 03-944492/944491, categorie 2-3*

Hotel Semiramis
Ook dit hotel vindt u aan de westelijke Corniche. *Tel. 03-944091, categorie 2*

Hotel Arouss
Een wat eenvoudiger en goedkoper hotel, eveneens aan de Corniche gelegen. *Tel. 03-942419/942420, categorie 3*

UITGAAN

Een druk nachtleven à la Cairo moet u hier niet verwachten; u kunt over de Corniche flaneren en iets gaan drinken in een van de hotels.

INLICHTINGEN

Tourist Information
Aan de Corniche, op de hoek van de straat die naar het station gaat. Tel. 03/3192

SIDI ABD EL-RAHMAN

Langs de kustweg komt u na 154 km bij dit dorp met zijn mooie strand. (C1)

HOTEL

El-Alamein
Prima plaats om te overnachten, aan het strand. 209 kamers. *Tel. 03-4921228, categorie 2*

TANTA

Hoofdstad van de delta met ongeveer 200.000 inwoners. Het interessantste bouwwerk van de stad is de mooie moskee van de plaatselijke heilige Said Ahmad el-Badawi, gebouwd in de stijl van een Turkse koepelmoskee.
El-Badawi werd in 1200 n.C. geboren in het Marokkaanse Fez. Zijn graf bevindt zich in de moskee. Zijn ✿ mulid trekt elk jaar duizenden pelgrims, die in een reusachtig tentenkamp, opgezet door de plaatselijke sjeiks, worden opgevangen. (D1)

HOTEL

Arafa
Tanta heeft maar één hotel dat voor toeristen aan te bevelen is: het Arafa aan het stationsplein. 45 kamers. *Midan el Mahatta, tel. 040-336952/336953, categorie 3*

INLICHTINGEN

U kunt het beste voor uw komst inlichtingen inwinnen in Cairo of Alexandrië.

Kleurrijke wereld onder water

Langs de kust een paradijs voor zwemmers en duikers, in het binnenland grillige rotsformaties en een kale woestijn — het land van de bedoeïenen

Sinaï en de Rode Zee — voor velen betekent dat zorgeloze dagen aan zee, tegen een decor van rotsen en woestijn. Maar niet alleen zwemmers komen hier aan hun trekken, vooral voor duikers is dit een echt paradijs. Aan de oostkust van de Sinaï en in de Rode Zee liggen koraalriffen, omspoeld door glashelder water dat ongelooflijk rijk is aan vissen en andere zeedieren in allerlei kleuren. Maar ook aan de Middellandse-Zeekust kunt u heerlijk vakantie houden: met zijn beeldschone palmbosjes achter een sneeuwwit strand heeft El-Arisj, het levendige centrum van de Noord-Sinaï, zich ontwikkeld tot een echte badplaats.

Als u de kust achter u laat en het binnenland van het Sinaï-schiereiland opzoekt, ontdekt u een heel andere, maar minstens zo boeiende wereld: de rotswoestijn van de Hoge Sinaï. Trekkend langs duizelingwekkende kloven en bizarre rotsformaties die gedu-

Op deze 2285 m hoge, kale berg in de Sinaï moet Mozes de tien geboden hebben ontvangen

rende vele duizenden jaren van erosie zijn gevormd, vindt u er eenzaamheid en absolute rust te midden van een vrijwel onbegroeid en indrukwekkend landschap.

Van oudsher wonen in de Sinaï bedoeïenen, die met hun vee door de woestijn trekken. Velen van hen hebben nieuwe manieren ontdekt om aan de kost te komen: ten behoeve van de snel groeiende toeristenstroom onderhouden zij kampeerplaatsen, verhuren jeeps en kamelen en fungeren als gids. Aan de westkust van de Sinaï liggen uitgestrekte aardolievelden, daar wordt het landschap gedomineerd door boortorens.

De hele Sinaï is te bereiken met comfortabele lijnbussen. Deze kunt u boeken in Cairo; hetzelfde geldt voor de vliegtickets van Air Sinai. De bus naar Israël, die Cairo, Tel Aviv en Jeruzalem met elkaar verbindt, vertrekt elke morgen, behalve 's zaterdags, om 5.00 uur vanuit Cairo. Hij neemt de route Cairo — El-Kantara — El-Arisj — Rafah: dat is het grensstation, u moet daar in een Israëlische bus overstappen.

EL-ARISJ

★ Het centrum van de Noord-Sinaï bij de monding van Wadi Arisj is, met het witte strand en de beeldschone palmenbosjes, een ideale plek om u te ontspannen en tot rust te komen. Van de twee hoofdstraten loopt er een langs de kust, daar waar in vroeger tijden de 'via maris' (zeeweg) liep. De andere loopt in zuidelijke richting naar het busstation. In deze buurt vindt u ook de ✪ souk, die vooral vanwege zijn aanbod aan fruit de moeite waard is; beroemd zijn de perziken van de Sinaï, die in juli en augustus geplukt worden.

Rechts van het busstation loopt een straat naar de overblijfselen van de citadel van sultan Suleiman uit de 16de eeuw. Maar interessanter dan de muurresten is de ✪ bedoeïenenmarkt die elke donderdag op deze plek wordt gehouden en een kleurrijk schouwspel biedt. 's Avonds is hier niet veel te doen, u kunt gaan eten in een van de hotels, meer 'nightlife' is er niet. (E1)

HOTELS

Oberoi

Een bungalowpark, geëxploiteerd door de Oberoi-keten. 226 kamers. *Sjaria Farik Abu Zakry (aan zee), tel. 064-778033/341988, fax 341018, toegankelijk voor rolstoelgebruikers, categorie 1*

Sinai Beach Hotel

Eenvoudiger en goedkoper is dit uitstekende hotel, dat ook aan de kustweg ligt. 30 kamers. *Sjaria Fuad Zakry, tel. 064-341713/2588212, categorie 2*

Sinai Sun

Aan de weg naar het station, maar nog dicht bij de kustweg. 60 kamers. *Sjaria 26 July, tel. 064-341855/343855, categorie 3*

INLICHTINGEN

Tourist Information

Er is een inlichtingenbureau aan de kustweg, maar de informatie die de hotels verstrekken is beter.

UITSTAPJE

Suezkanaalzone

Het Suezkanaal is 195 km lang en loopt van de stad Suez naar Port Saïd aan de Middellandse Zee.

Omstreeks 500 v.C. kwam de eerste verbinding tussen de Rode en de Middellandse Zee tot stand. In de loop der eeuwen verzandde deze waterweg, maar na de verovering van Egypte door de Arabieren werd hij weer bevaarbaar gemaakt. In 767 werd deze verbinding definitief vernield met het doel Medina uit te hongeren, dat voor zijn graanaanvoer op dit kanaal was aangewezen. Deze stad was namelijk in opstand gekomen tegen kalief Abu Djafar el-Mansour.

Pas in de 19de eeuw werd het Suezkanaal opnieuw gegraven, en op 17 november 1869 vond de plechtige opening plaats. Na de oorlog van 1967 bleef de waterweg gesloten, om pas in 1975 opnieuw te worden geopend.

De steden aan het kanaal zijn voor toeristen minder interessant, veel gebouwen zijn als gevolg van de gevechten vernield en veel bewoners zijn naar Cairo gevlucht. Ismailiya is tegenwoordig weer een stad van 200.000 inwoners, veel Egyptenaren hebben hier of

MARCO POLO-TIPS: SINAÏ EN DE RODE ZEE

1 Kloosters van St.-Antonius en St.-Paulus
Midden in de woestijn, te bereiken via de kustweg langs de Rode Zee (bladzijde 82)

2 El-Arisj
Vakantieparadijs met sneeuw-wit strand en palmbosjes (bladzijde 78)

3 Ras Muhammad
De zuidelijkste punt van de Sinaï; rotsen, water en woes-tijn (bladzijde 82)

4 Nuweiba
Kameelrit door de rotswoestijn van de oostelijke Sinaï (bladzijde 81)

5 St.-Catharinaklooster
Schatkamer van het christen-dom te midden van de rotsen (bladzijde 79)

6 Hurghada
Een nieuw vakantieparadijs aan de Rode Zee, ideaal voor duiken en andere vormen van watersport (bladzijde 83)

aan de nabijgelegen Bittermeren een vakantiehuisje. In noordelijke richting volgt El-Qantara, waar busreizigers naar El-Arisj de pont moeten nemen. Port Saïd en zijn zusterstad Port Fuad tellen samen ongeveer 285.000 inwoners; de sinds 1975 bestaande vrijhandels-zone gaf deze regio een nieuwe economische impuls.

Suez, aan de uiterste zuidpunt, heeft nu weer 265.000 inwoners. Ten noorden van Suez verbindt de Ahmad-Hamdy-tunnel het schiereiland Sinaï met het Egypti-sche vasteland. (E2)

ST.-CATHARINA-KLOOSTER

★ Vroeger was dit klooster de voornaamste trekpleister van de Sinaï, schilderachtig gelegen aan de voet van de berg van Mozes (Gebel Musa), een wereld apart. U kunt hier zowel per lijnbus als per vliegtuig komen, maar neemt u liever de bus – de weg hierheen geldt als de mooiste van de Hoge Sinaï.

Het St.-Catharinaklooster ligt op 1570 m hoogte en is in 527 n.C. gebouwd door keizer Justinianus op de plek waar eens het 'bran-dende braambos' moet hebben gestaan, waarin volgens de bijbel-se overlevering God aan Mozes verscheen. Het klooster, dat ove-rigens niet Koptisch is maar Grieks-orthodox, bezit een be-roemde bibliotheek met duizen-den oude manuscripten en een onvergelijkelijk mooie collectie Byzantijnse iconen. De monniken verzorgen rondleidingen en heb-ben ook een gastenverblijf, dat om 21.00 uur dichtgaat. Het klooster is genoemd naar de heili-ge Catharina, van wie het gebeen-te in de basiliek rust. (E2)

Het St.-Catharinaklooster is schilderachtig gelegen aan de voet van de Mozesberg (Gebel Musa)

HOTELS

El-Salam

Hotel El-Salam bij het vliegveld, circa 16 km van het klooster, is heel eenvoudig. 35 kamers. Tel. 10-24546/2452832, *categorie 3*

St. Catharine Tourist Village

Dicht bij het kloostercomplex, in de Wadi el-Raha, ligt het St. Catharine Tourist Village, waar u goed kunt overnachten. 100 kamers. Tel. 10-770221/3564011, fax 3564005, *categorie 1*

UITSTAPJES

Blauwe woestijn

In 1980 kwam Jean Verame, een Belgische kunstenaar, op het idee het woestijnlandschap op te vrolijken met enkele kleuraccenten en hij verfde een paar rotsen blauw. Vreemd genoeg heeft de plek door deze 'landschapsschilderkunst' een heel aparte sfeer gekregen: het blauw van de rotsen voor de achtergrond van rode

en bruine natuursteen met daarboven een roerloze blauwe hemel, nodigt uit tot stilte, tot genieten. U komt er met een taxi vanaf St. Catharina, tot boven op het plateau is het nog ongeveer 16 km. (E2)

Dahab

Een dorp dat zowel voor waterratten als voor zandhazen geschikt is. Er is gelegenheid om te duiken en om de omliggende woestijn te verkennen. 142 kamers. *Dahab Holiday Village, tel. 10-770788, fax 2587490, categorie 2-3* (F3)

Gebel Musa (Mozesberg)

Aan de beklimming van de berg, daar zijn alle gidsen het over eens, moet u in alle vroegte beginnen, zodat u boven de zonsopgang mee kunt maken. Een groot aantal toeristen wil voor dag en dauw de 2285 m hoge berg op, waar Mozes de stenen tafelen met de tien geboden moet hebben ontvangen. Daarom is het er dan ook behoorlijk druk rond deze tijd.

Er gaan twee wegen omhoog: de ene is een trap van 3000 treden, maar gemakkelijker is die langs het voetpad dat bij het klooster begint. U moet voor de klim naar de top ongeveer twee uur rekenen, maar ook langs deze route moet u op het laatste stuk nog 700 treden beklimmen. Tot aan de trap kunt u voor ongeveer LE 5 ook met een kameel. Een tip: de zonsondergang is bijna even mooi. En op vrijdag en zondag, als het klooster gesloten is, zijn er veel minder klimmers. (E2)

Oase Feiran

Ruim 60 km van het St.-Catharinaklooster langs de weg naar Abu Rodeis ligt deze oase met meer dan 1000 inwoners, omgeven door palmbosjes. Ook hier zijn sporen van een christelijke vestiging te vinden: Feiran was van de 4de tot de 7de eeuw een bisschopszetel; tegenwoordig is er nog een klein nonnenklooster gevestigd, een dependance van het St.-Catharinaklooster. Van de voormalige kathedraal zijn echter alleen nog een paar stukken muur blijven staan. Als u het heuveltje met de kerkresten beklimt, hebt u een mooi uitzicht over de oase. (E2)

NA'AMA BAY

Een van de moderne vakantieparadijzen aan de oostkust van de Sinaï, maar enkele kilometers van Sjarm el-Sjeik verwijderd en met veel betere faciliteiten voor snorkelen en duiken. Op deze plek is een echte hotelstad aan het ontstaan. (F3)

HOTELS

Fayrouz Village

Geëxploiteerd door Hilton, het beste hotel van deze plaats. 150 kamers. *Tel. 062-769400, fax 770726, toegankelijk voor rolstoelgebruikers, categorie 1*

Sanafer

Voordeliger is Sanafer, dat beschikt over een stijlvol restaurant. 30 kamers. *Boeken in Cairo tel. 062-600197/8, fax 600220, toegankelijk voor rolstoelgebruikers, categorie 3*

NUWEIBA

Toen Taba nog niet bij Egypte hoorde was dit de meest noordelijke badplaats aan de Golf van Aqaba. Na een hele dag snorkelen en zwemmen is het heerlijk om in alle rust te genieten van de zonsondergang achter de westelijke bergketen. ⁉ Ook op Saudi-Arabië aan de overkant van de Golf hebt u hier een mooi uitzicht.

★ Nuweiba vormt een ideaal vertrekpunt voor kameeltochtjes. Een plaatselijke beroemdheid, de Zwitserse Rima, zorgt voor kamelen of jeeps. U vindt haar aan de hoofdweg van Nuweiba in 'El Khan'.

Van Nuweiba gaat regelmatig een veerboot naar het Jordaanse Aqaba, *voor ongeveer Hfl. 70/Bfr. 1400 kunt u een visum krijgen. Prijs van een overtocht eerste klas met airconditioning: US$ 18.* (F2)

HOTELS

El Sayadeen Touristic Village

66 kamers. *Tel. 10-757398, toegankelijk voor rolstoelgebruikers, categorie 2*

Nuweiba Tourist Village
131 kamers. Tel. 10-770393/
768832, fax 3922228, toegankelijk
voor rolstoelgebruikers, categorie 2

Sally-Land Tourist Village
32 kamers. Tel. 10-743689, toegankelijk voor rolstoelgebruikers, categorie 3

SJARM EL-SJEIK

Zuidelijkste plaats van de Sinaï,
met Na'ama Bay samen het
zwemparadijs van de Zuid-Sinaï.
Rond het door de Israëliërs ge-
stichte Tourist Village staan de
hotels; de baai Ras Um Sid, circa
1,5 km in oostelijke richting,
biedt goede duikmogelijkheden.
De plaats bestaat in zekere zin uit
twee delen, met bebouwing op
het rotsplateau dat uitziet over de
baai, en ook aan de baai zelf. (F3)

HOTELS

Marina Sharm el-Sheikh
148 kamers. Tel. 10-7700175/
768385, fax 762704, categorie 1-2

Clifftop Hotel
30 kamers. Tel. 10-770448, categorie 3

UITSTAPJES

**Kloosters van St.-Antonius en
St.-Paulus**
★ Vanaf Ras Zafarana 50 km naar
rechts de woestijn in staat onder
een hoge rotswand het klooster
dat genoemd is naar de heilige
Antonius, de voorloper van de
groep kluizenaars die hier na zijn
dood in 356 het klooster stichtten. Al is het complex in de 16de
eeuw verwoest en daarna weer

opgebouwd, het maakt nog
steeds een monumentale indruk.
Interessant zijn de vele koepels op
de daken van de kerken.
Vanaf Ras Zafarana rijdt u nog circa 25 km langs de kustweg, dan
neemt u een zijweg rechts naar
het 12 km verderop gelegen
kloostercomplex, dat als een vesting het landschap domineert.
Het middelpunt is de grot waarin
Paulus tot zijn dood heeft ge-
woond; hij bereikte de aartsva-
derlijke leeftijd van 113 jaar.
Een wandeling van het ene klooster naar het andere is zeer de
moeite waard. Vraag om een
gids, alleen is de weg moeilijk te
vinden. *Beide kloosters zijn ook goed te
bereiken met een taxi vanaf Hurghada. De
prijs bedraagt LE 150 à 250 (E2)*

Ras Muhammad
★ De zuidelijke punt van de Sinaï, ongeveer 20 km van Sjarm
el-sjeik, heeft geweldige plekken
om te duiken, vol vis en met glashelder water. De koraalriffen hier
staan bekend als een echt paradijs.
Het schiereiland is alleen door
een smalle landtong met het vasteland verbonden.
De hele zuidelijke punt staat onder natuurbescherming, bij de
toegang moet u entree betalen. *U
kunt er het beste komen met een taxi vanaf Sjarm el-Sjeik, de prijs bedraagt ongeveer LE 150 voor de hele dag.* (F3)

Ras Zafarana
Rijden over de kustweg vanaf
Suez naar het zuiden is een heer-
lijke belevenis, de rotsmassieven
van de Arabische woestijn reiken
vaak tot vlak bij het water. De
eenzame baaien zijn heerlijk om
in te zwemmen, maar u moet
voorzichtig zijn: hier liggen nog
altijd mijnen, denkt u er aan al-

leen daar in het water te gaan waar anderen u voorgingen. Na 125 km bereikt u Ras Zafarana, uitgangspunt voor een bezoek aan de twee kloosters. (E2)

Taba

Het laatste stukje betwist gebied tussen Israël en Egypte; het dorpje Taba werd in 1989 aan Egypte teruggegeven. Sinds die tijd is het plaatselijke luxehotel (*Taba Hilton, 326 kamers, tel. 10-768200, fax 771461*) in Egyptische handen. Behalve zwemmen, duiken en zonnen kunt u hier ook kameeltochtjes maken of de nabijgelegen pas Ras el-Naqb beklimmen – wondermooi uitzicht op het indrukwekkende rotslandschap. Het Israëlische Eilat ligt hier dichtbij, als u een kort bezoek aan het buurland wilt brengen, hebt u een re-entry-visum voor Egypte nodig, dat u al in Cairo moet aanvragen. (F2)

HURGHADA

★ De grootste kustplaats met de meeste faciliteiten; van een internationale luchthaven tot luxehotels vindt u hier alles wat u voor een vakantie aan zee nodig hebt. Er wordt nog voortdurend bijgebouwd – de stad lijkt af en toe wel één grote bouwput. Er komen steeds meer hotels bij, in alle categorieën, en de 'stad uit de reageerbuis' strekt zich momenteel al uit over een lengte van 20 km (!). Het einde is nog niet in zicht. In het noorden ligt een wijk die zo van de tekentafel komt, met allerlei openbare voorzieningen; richting zuiden ligt de wat oudere 'binnenstad'.

Het aantrekkelijke van deze plaats zijn natuurlijk de koraalriffen, die u snorkelend, duikend of zittend in een boot met glazen bodem kunt verkennen. Verder kunt u alle mogelijke vormen van watersport beoefenen, u kunt een tochtje naar het eiland Giftun maken of gewoon in de zon blijven liggen. (E3)

HOTELS

El Mashrabiya Village

122 kamers. *Tel.* 062-441602/3, *fax 441190, categorie 1*

Giftun Tourist Village

Hier is het een stuk goedkoper. 282 kamers. *Tel.* 062-440665/440666, *categorie 2*

Jasmin Holiday Village

Even voordelig. 420 kamers. *Tel.* 062-744828/744799, *fax* 760159, *categorie 2*

Magawish

Ten zuiden van de hotelwijk. 314 kamers. *Tel.* 062-441730/440779, *fax* 440255, *toegankelijk voor rolstoelgebruikers, categorie 1*

Sheraton Hurghada

Aan het strand. 85 kamers. *Tel.* 062-441730/440779/3488217, *fax* 3488217, *toegankelijk voor rolstoelgebruikers, categorie 1*

RESTAURANTS

Alle hotels beschikken over een of meer restaurants.

INLICHTINGEN

Tourist Information

Sjaria Misr Bank, tel. 062-40513

Een wereld apart

In de oasen lijkt de tijd eeuwenlang
te hebben stilgestaan

Tot voor kort vormden de oasen een vrijwel volledig geïsoleerde wereld. Om die reden waren ze bij kenners dan ook al lange tijd bijzonder in trek, maar tegenwoordig komen er ook steeds meer toeristen. De bewoners van de oasen leven al lang niet meer uitsluitend van de opbrengst van hun dadelpalmbosjes en fruitboomgaarden.

Bij Bahariya is de winning van ijzererts ter hand genomen, in andere oasen komt de ontwikkeling van de landbouw steeds meer op gang. Toch is de sociale structuur van de oasedorpen intact gebleven en worden tradities nog steeds in ere gehouden. In dat opzicht komt de toerist hier nog altijd in een heel aparte wereld terecht, die hij dient te respecteren door bijvoorbeeld geen ongepaste kleding te dragen.

In het algemeen geldt voor woestijntochten dat het geen simpele plezierritjes zijn, maar vooral de zogenaamde off-the-road tours moet u niet onderschatten. Als u

De onwerkelijke wereld van de Witte woestijn: krijtrotsen die uit het woestijnzand lijken te groeien

niet meerijdt met een georganiseerde tocht (die door veel reisbureaus in Cairo worden aangeboden), dient u strikte veiligheidsregels in acht te nemen. Drinkwater- en brandstofvoorraden zijn net zo onontbeerlijk als voldoende eten, een zandschuiver en een schop.

Ook moet u niet vergeten een dikke trui en een goede slaapzak mee te nemen: 's nachts kan het bitterkoud zijn, vooral 's winters, en de kamers in de rustige pensionnetjes van de oasen zijn maar heel eenvoudig. Maar zo'n tocht wordt natuurlijk heel bijzonder als u gaat kamperen of in de auto overnacht. Een nacht onder de blote hemel, en dan met name in de *Witte woestijn*, is een van de heel bijzondere avonturen die in dit deel van Egypte vandaag de dag nog mogelijk zijn. (C3)

OASEN/WITTE WOESTIJN

Ook in de beschrijving van de oasen hebben we geen alfabetische volgorde aangehouden; in plaats daarvan hebben we een rondrit door het hele gebied uitgestippeld.

MARCO POLO-TIPS: DE OASEN

1 Bahariya
Alle oasen zijn de moeite waard, maar Bahariya mag u in geen geval missen (bladzijde 86)

2 Witte woestijn
Voor liefhebbers van de woestijn een must: de Witte woestijn tussen Bahariya en Farafra (bladzijde 86)

Bahariya

★ Op 334 km afstand van Cairo ligt de noordelijkste van de westelijke oasen, met de hoofdplaats Bawiti, schilderachtig te midden van de bergen. De 15.000 mensen die hier wonen leven van de uitgestrekte dadelpalm- en fruitplantages, maar ook de nabijgelegen mijn biedt tegenwoordig werkgelegenheid. De huizen van Bawiti zijn vrolijk beschilderd. Veel vrouwen dragen nog de traditionele sieraden: een neusring, arm- en enkelbanden.

Ten zuidwesten van Bawiti liggen Romeinse resten, onder andere een goed bewaard graf. *Hotel Alpenblick*, door een Zwitser zo genoemd, biedt zeer eenvoudig onderdak (*Bawiti, eerste dwarsstraat links achter de moskee bij het begin van de bebouwde kom*). Om verder te kunnen rijden naar de oase Siwa hebt u toestemming van de militaire autoriteiten nodig, naar Farafra kunt u op het moment gewoon doorrijden. (De regels kunnen weer veranderd zijn, vraag dit voor de zekerheid even na.) (C3)

Witte woestijn

★ De weg naar Farafra leidt door de Witte woestijn, die zo genoemd wordt vanwege de witte kalksteenformaties in het landschap. In de loop van miljoenen jaren zijn de rotsen als gevolg van erosie tot de meest grillige vormen gevormd. Als u daar kans toe ziet, moet u hier beslist een keer buiten overnachten. Dat is vooral sfeervol bij volle maan, wanneer de witte kalksteenrotsen het bleke maanlicht weerkaatsen.

Zowel vanaf Bahariya als vanaf Farafra worden off-the-road tours naar de Witte woestijn georganiseerd. (C3)

Farafra

★ De kleinste en westelijkste oase heeft niet meer dan ongeveer 1500 inwoners en ligt 170 km van Bahariya. Ook hier wordt het beeld bepaald door dadelpalmbossen en fruitplantages. In de uitgestrekte vlakte breidt de landbouw zich nog steeds uit. Vlak voor de ingang van het dorp ligt *Saads Restaurant*, de eigenaar weet u over het wel en wee van de oase heel wat te vertellen.

Oorspronkelijk stond er in Farafra een vluchtburcht, die bescherming bood tegen de aanvallen van roofzuchtige bedoeïenen. Helaas is deze in 1958 ingestort, zodat er nu alleen nog een hoop puin van over is. De huizen lijken te zijn vergroeid met de heuvels, in het dal ligt het dorpsplein met een moskee. U kunt ook het *Farafra Art Museum* bezoeken bij de ingang van het dorp. De stichter daarvan, de leraar en schilder

Badr, heeft met veel toewijding taferelen uit het oaseleven verwerkt in naïeve schilderijen. (B3)

Dakhla

★ Deze oase telt meer dan 35.000 inwoners en ligt in een bijzonder boeiend landschap. Vanwege de kleur van de omliggende rotsen wordt ze ook 'roze oase' genoemd. De groene velden en schaduwrijke wegen zijn heel geschikt voor ontspannen wandelingen. Zeer de moeite waard is ook El-Qasr, ooit hoofdplaats van de oase met een middeleeuwse kern en een moskee van adobe (ongebakken klei). U kunt de westelijke minaret beklimmen en hebt dan een ✲ uniek uitzicht op het zeer oude en schilderachtig dorp.

Tegenwoordig is Mut, 50 km verderop, de belangrijkste plaats van de oase. Aan het centrale plein ligt het staatshotel *Tourist Home* en ook de toeristeninformatie. Ook het busstation vindt u hier, zowel

Farafra, de kleinste en westelijkste oase

Bahariya: hier vindt u resten van een Romeinse vestiging

voor lijnbussen naar het Nijldal als voor het busverkeer binnen de uitgestrekte oase. Er zijn echter ook taxi's beschikbaar. (C4)

Kharga

★ Vanaf Dakhla 190 km naar het oosten ligt in een keteldal de vierde van de westelijke oasen. Ongeveer 20 km van Kharga stuit u op grote zandduinen. Kharga maakt deel uit van het New Valley Project, dat zowel de ontwikkeling van de landbouw als de vestiging van nieuwe bewoners uit het Nijldal beoogt; ook Nubiërs hebben hier nieuwe woonplaatsen gevonden.

Vanwege deze moderne ontwikkelingen heeft Kharga niet meer de charme van een traditionele oase. Het beste hotel is het *Oasis Kharga*, ook New Valley Hotel genoemd, met daar schuin tegenover het Tourist Office, beide bij de ingang van het stadje. In Kharga is de infrastructuur meer 'ontwikkeld', er is bijvoorbeeld een country club met een zwembad. De oude kern ligt in het zuidoosten en beschikt over een kleine ❂ souk.

Als bezienswaardigheid geldt de *Hibis-tempel*, die nog buiten de bebouwde kom ligt en de best bewaarde tempel van de Egyptische oasen is, daterend uit de tijd van de Perzische overheersing. Nog verder naar het noorden ligt *El-Bagavat*, een christelijke necropolis met koepelgraven en een basiliek. Het complex dateert van de 4de tot de 7de eeuw. Vanaf Kharga gaat de reis ongeveer 300 km naar het noorden, dan bent u weer in Asyut in het Nijldal.

De hele rondrit door de oasen kunt u ook met lijnbussen maken, bovendien beschikt Kharga over een klein vliegveld. (D4)

Siwa

In de oude stad (El Sjali) staan schilderachtige lemen huisjes uit de 13de eeuw. Vanaf de *Gebel Dakhrour* hebt u een ❖ fantastisch uitzicht op goudgele zandduinen en groene dadelpalmplantages. De plaats was al in de Oudheid beroemd vanwege de bron van Cleopatra en het Amon-orakel: hier liet Alexander de Grote zich tot farao kronen. Bescheiden accommodatie biedt *Hotel Cleopatra ten zuiden van het centrale plein, categorie 3;* nog eenvoudiger is het *Siwa Hotel. Toeristische informatie op het postkantoor.* (A2)

Praktische tips

De belangrijkste informatie en adressen voor uw reis naar
Egypte

AMBASSADES EN CONSULATEN

Nederlandse ambassade in Egypte
18 Sjaria Hassan Sabri, Zamalek, Cairo, tel. 02-3401936/3406434

Belgisch consulaat in Egypte
20 Sjaria Kamel el Sjennawi, Garden City, Cairo, tel. 3547494/3547495/3547496

Egyptische ambassade in Nederland
Badhuisweg 92, 2587 CL Den Haag, tel. 070-3542000/3544535

Egyptische ambassade in België
Leo Errerolaan 44, 1180 Brussel, tel. 02-3455253/3455015

ARTSEN

In Cairo vindt u heel bekwame artsen, die goed Engels spreken. De ambassade of het consulaat, maar ook uw hotel, kan u aan adressen helpen. De behandeling moet contant worden betaald in buitenlandse valuta; sommige artsen accepteren ook Egyptische ponden. Het beste ziekenhuis in Cairo is het El-Salam International Hospital in de voorstad Maadi, tel. 3507878/3507196/3507424.

AUTOVERHUUR

Avis Cairo
16 Sjaria Maamel el-Sukar, tel. 3547081

Hertz Cairo
195 Sjaria 26 July, tel. 3474172/2238

Sixt Budget Cairo
5 Sjaria el-Magrizi, tel. 3420084

BANKEN

In de grote hotels zijn bankfilialen gevestigd, die meestal dag en nacht geopend zijn. U kunt echter ook bij andere banken wisselen. Eurocheques worden niet overal geaccepteerd, maar wel aan de bankloketten van de hotels. Creditcards worden in alle grote hotels, maar ook in sommige restaurants en winkels aangenomen. Bewaar de kwitanties van al uw transacties tot u het land verlaat! Banken zijn in principe op vrijdag gesloten.

BINNENLANDSE VLUCHTEN

Egypt Air onderhoudt de verbindingen Cairo-Luxor-Aswan-Abu Simbel, Cairo-Hurghada, Cairo-Alexandrië, Cairo-Sinaï. Voor de vlucht van Cairo naar Aswan betaalt u LE 398; voor kinderen tot 12 jaar betaalt u LE 200.

BUSSEN

Egypte beschikt over een dicht net van busverbindingen. Voor toeristen interessant zijn de lange-afstandsbussen naar de Sinaï (met airconditioning, reserveren noodzakelijk).

DOUANE

Vrij van invoerrechten zijn alle persoonlijke benodigdheden, 1 camera, 200 sigaretten, 25 sigaren, 1 l alcohol. Filmcamera's en cassetterecorders moeten worden aangegeven, deze worden in uw pas bijgeschreven en bij vertrek gecontroleerd. Voor grote geldbedragen in contanten moet u een deviezenverklaring tekenen. Minstens 30 dagen voor uw aankomst moeten uw huisdieren ingeënt zijn.

FOTOGRAFEREN

Het fotograferen van militaire objecten, bruggen en ook het Suezkanaal is verboden. In graven mag u onder geen beding foto's maken, omdat het flitslicht bijzonder schadelijk is voor de kleuren. Ook filmen is daar streng verboden. Fotorolletjes zijn in Egypte duur en lang niet altijd van goede kwaliteit. Het beste kunt u van thuis een voorraad meenemen.

INFORMATIE

In Nederland en België is geen Egyptisch verkeersbureau. Voor informatie verwijzen wij u naar gespecialiseerde reisbureaus.

KAMPEREN

Wild kamperen is in principe toegestaan, maar wordt niet overal op prijs gesteld. Er zijn maar een paar officiële campings waar men het goed vindt dat u in uw auto overnacht.

KLEDING

Normaal gesproken hebt u genoeg aan lichte zomerkleding. Wanneer u het land in de winter bezoekt, maar ook als u tochtjes naar de woestijn en naar de Sinaï gaat maken, moet u voor 's avonds beslist ook een dikke trui meenemen.
Zorg er in ieder geval voor dat de Egyptische bevolking geen aanstoot neemt aan uw kleding; vooral op vrouwen wordt wat dat betreft streng gelet.

NIJLCRUISES

De meeste van deze cruises, waarvoor u bij veel reisbureaus terecht kunt, bevaren het traject Luxor-Aswan, maar sommige gaan ook door tot Cairo.
Avontuurlijke types kunnen zich ook wagen aan een zeiltocht met een felouk; deze boten kunt u huren in Luxor of Aswan.

PASPOORT – VISUM

Om Egypte binnen te komen, hebt u een pas nodig die ten minste nog een half jaar geldig is, en daarnaast een visum, dat u van tevoren bij de ambassade in Nederland of het consulaat in België kunt halen, of bij aankomst in Egypte op de luchthaven of in de haven. De laatste mogelijkheid is het goedkoopst.

Binnen zeven dagen na aankomst moet u zich melden bij de politie, normaal gesproken zorgt uw hotel daarvoor, maar als dat niet het geval is, moet u er zelf heen. In Cairo moet u in het Mugamma zijn, het overheidsgebouw aan de Midan Tahrir.

Hotel-boot op de Nijl

Als u een tochtje naar Israël wilt maken, hebt u een re-entry-visum nodig om het land weer in te kunnen. Als u met de bus naar Israël gaat, krijgt u in Raffah of Taba een Egyptisch vertrekstempel, waaraan elke andere douanier in de omringende Arabische landen kan zien dat u in Israël bent geweest; hij zal u dan niet meer binnenlaten. Voor andere Arabische landen, met uitzondering van Jordanië, hebt u dan een nieuwe pas nodig.

Als u van Nuweiba met de veerboot naar Aqaba (Jordanië) wilt (prijs US$ 18 eerste klas met airconditioning), kunt u daar voor ongeveer Hfl. 70/Bfr. 1300 een visum voor Jordanië krijgen.

Belangrijk: Arabische stempels in uw pas zijn in Israël geen probleem, maar omgekeerd is het niet mogelijk Arabische landen binnen te komen met Israëlische stempels. Alleen voor Egypte en Jordanië geldt dit niet.

POST – TELEFOON

Postkantoren, die in het Arabisch *busta* heten, zijn er overal, maar ook de hotels zorgen voor de versturing van uw brieven en kaar-

ten. Portokosten: 70 piaster voor een luchtpostbrief of een ansichtkaart (naar Nederland of België). Brievenbussen voor luchtpost zijn blauw.

Een telefoongesprek met Nederland of België kost ongeveer Hfl. 35/Bfr. 650 (gespreksduur 3 à 4 minuten).

Voor Nederland draait u vanuit Egypte eerst 0031

Voor België draait u vanuit Egypte eerst 0032

Voor Egypte draait u vanuit Nederland eerst 0020

Voor Egypte draait u vanuit België eerst 0020

Kengetal Alexandrië: 03

Kengetal Cairo: 02

REISTIJD

De beste tijd voor een reis naar Egypte is de periode tussen november en april.

SPOORWEGEN

Aan te bevelen zijn alleen de slaapwagens (*Super-Sleepers*) en de eerste-klascompartimenten met airconditioning. Het is verstandig om de kaartjes enkele dagen van tevoren te kopen, een plaats reserveren is verplicht. Vergeet vooral geen toiletpapier mee te nemen! Studenten krijgen op vertoon van hun internationale studentenkaart reductie.

Voorbeeld van de prijzen die worden gehanteerd: van Cairo naar Aswan, in de eerste klasse, met airconditioning, kost LE 60; in de Super-Sleeper tussen LE 216 en LE 330.

TOERISTENPOLITIE

De toeristenpolitie is een Egyptische specialiteit, die is opgericht om toeristen een helpende hand te bieden, ze van informatie te voorzien, van advies te dienen en te zorgen dat ze niet worden opgelicht. Agenten van de toeristenpolitie herkent u aan hun groene armbanden, met daarop de woorden *Tourist Police*.

Cairo
5 Sjaria Adli, tel. 912644
Bij de piramiden: tel. 850259
Op de luchthaven: tel. 965239

Alexandrië
In de haven, tel. 4427

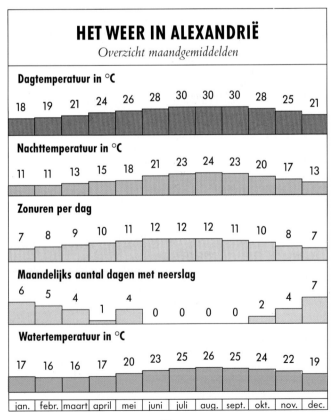

HET WEER IN ALEXANDRIË
Overzicht maandgemiddelden

Dagtemperatuur in °C

jan.	febr.	maart	april	mei	juni	juli	aug.	sept.	okt.	nov.	dec.
18	19	21	24	26	28	30	30	30	28	25	21

Nachttemperatuur in °C

jan.	febr.	maart	april	mei	juni	juli	aug.	sept.	okt.	nov.	dec.
11	11	13	15	18	21	23	24	23	20	17	13

Zonuren per dag

jan.	febr.	maart	april	mei	juni	juli	aug.	sept.	okt.	nov.	dec.
7	8	9	10	11	12	12	12	11	10	8	7

Maandelijks aantal dagen met neerslag

jan.	febr.	maart	april	mei	juni	juli	aug.	sept.	okt.	nov.	dec.
6	5	4	1	4	0	0	0	0	2	4	7

Watertemperatuur in °C

jan.	febr.	maart	april	mei	juni	juli	aug.	sept.	okt.	nov.	dec.
17	16	16	17	20	23	25	26	25	24	22	19

Een gewaarschuwd mens...

Handelen hoort erbij in Egypte, maar er zijn situaties die u beter kunt vermijden

Baksjisj en fantasieprijzen

Het is moeilijk om concrete plaatsen, specifieke winkels of restaurants te noemen, 'genept' worden kunt u overal. Elke handelaar zal u met veel genoegen bij de neus nemen als u niet goed weet hoe u moet onderhandelen. Elke kameeldrijver zal om baksjisj zeuren tot u er niet goed van wordt, en elke taxichauffeur schijnt te denken dat een toerist uit Europa op zijn minst bankdirecteur is.

Als u niet geflest wilt worden, moet u de taxi's die voor het hotel wachten mijden: de chauffeurs daarvan vragen astronomische bedragen, vaak drie tot vier keer het normale tarief. In de bazaar moet u consequent blijven afdingen, en prijzen altijd vergelijken. U moet niets kopen bij graven en tempels, het wemelt daar van de handelaren die niets anders dan rotzooi in de aanbieding hebben. De bazaar van Luxor heeft helemaal niets authentieks en is uitsluitend bedoeld om toeristen kitsch van allerlei aard te verkopen. Dezelfde nep komt u tegen bij de piramiden van Gizeh. Als u beslist iets wilt kopen, heb dan even geduld en sla uw slag in As-wan: daar koopt u precies hetzelfde voor heel wat minder geld. Zelfs de Khan-el-Khalili-bazaar van Cairo, die toch duidelijk op het toerisme is afgestemd, is beter dan die van Luxor.

Bedelende kinderen

Ook al is hun armoede vaak schrijnend om te zien, toch kunnen bedelende kinderen een probleem zijn – als u er één iets geeft, willen ze allemaal wat hebben. Bovendien is wat u geeft nooit genoeg, ze roepen altijd om meer en kunnen soms behoorlijk lastig worden.

Creditcards

Wanneer u in de bazaar of in een souvenirwinkel met een creditcard betaalt, moet u er bij het invullen van het briefje voor alle zekerheid op letten dat de verkoper geen cijfer voor het bedrag kan zetten, of een 0 erachter

Nepgidsen

Vooral bij de piramiden, maar ook in Thebe-West treft u een overvloed aan 'amateurgidsen' aan – trek u niets van ze aan: de piramiden kunt u alleen ook prima bezichtigen. Laat u verder vooral niets wijsmaken: het bezichtigen van de piramiden aan de buitenkant kost nog steeds niets en kaartjes voor de grafkamers en voor een parkeerplaats kunt u alleen krijgen bij het Ticket Office en nergens anders, al helemaal niet bij uw nepgids. Ook in Thebe-West moet u op uw hoede zijn voor de truc met de kaartjes: er zijn genoeg Egyptenaren die graag een paar pond extra verdienen aan toeristen die zo naïef zijn dat ze deze zogenaamde 'behulpzaamheid' niet doorzien.

Niet provoceren

Het kan niet vaak genoeg worden gezegd, op het gevaar af dat het betuttelend klinkt: kleedt u zich zo, dat u de Egyptenaren niet onnodig provoceert. U moet geen korte broek dragen (dat geldt ook voor mannen!) en ook geen korte rok, geen diep uitgesneden T-shirts en ook geen bloesjes zonder mouwen.

Daarmee hebt u nog niet de garantie dat u nooit lastig gevallen zult worden, maar als u zich daar niet aan houdt (en helaas is dat bij te veel toeristen het geval), vraagt u al bijna om problemen met opdringerige mannen. U moet niet vergeten dat dit een heel andere cultuur is, met heel andere opvattingen over moraal, seks en de rol van vrouwen en mannen: respecteert u deze opvattingen in de korte periode die u hier als gast doorbrengt.

Taxi's bij de luchthaven

Vooral als u voor het eerst in Egypte bent en niet met een groep reist, staat u in het begin nogal hulpeloos voor de luchtha-

ven van Cairo, omringd door opdringerige figuren die u een taxi aanbieden. Ze hebben vaak niet eens een vergunning en ook particulieren die wat bij willen verdienen, nemen u mee in hun auto – voor immense bedragen, dat spreekt vanzelf.

Taxi's met vergunning zijn altijd zwart-wit, maar ook chauffeurs van deze wagens proberen argeloze toeristen soms het vel over de oren te halen. Ook zijn er nog zwarte limousines met vaste prijzen (LE 25 luchthaven-centrum). De zwart-witte taxi's doen het voor de helft – als u tenminste de strijd niet voortijdig hebt opgegeven en 'vrijwillig' meer betaalt. De Egyptenaren zelf betalen veel minder.

En nog iets: let erop, vooral als u als vrouw alleen reist en 's avonds laat aankomt, dat voordat uw taxi van de luchthaven wegrijdt, een politieman uw bestemming en het nummer van de taxi heeft genoteerd – veiligheid voor alles, en de politie is verplicht juist in zulke gevallen bijzonder waakzaam te zijn.

Zorgen voor genoeg kleingeld

Wie geen biljetten van LE 1, 50 of 25 piaster bij de hand heeft, kan voor onaangename verrassingen komen te staan: de taxichauffeur, handelaar of kameeldrijver kan namelijk niet wisselen als u hem een biljet van 5 of 10 pond geeft (om over 20-pondbiljetten nog maar te zwijgen). Of hij echt niet wisselen kan of op die manier hoopt een paar pond extra te verdienen, daar zult u natuurlijk nooit achter komen, maar in ieder geval is het verstandiger om altijd ten minste LE 10 aan kleingeld op zak te hebben.

REGISTER

In dit register zijn alle plaatsen en bezienswaardigheden opgenomen die in deze gids vermeld staan

Wat krijgt u voor uw geld?

 Een korte vraag, waarop een kort antwoord mogelijk is: veel. De munteenheid is het Egyptische pond (*livre égyptienne,* afkorting LE). De waarde van het Egyptische pond bedraagt op het moment (maart 1996) ongeveer Hfl. 0,50/Bfr. 9, maar is wel aan het dalen. De toegangsprijs voor musea bedraagt LE 1 à 3, alleen het Egyptisch Museum kost LE 4. Studenten krijgen vaak korting op vertoon van hun internationale studentenkaart. Ook op treinkaartjes en vliegtickets van Egypt Air kunnen studenten een aantrekkelijke korting krijgen. Voor een *aish baladi* betaalt u 5 piaster, *taamiya* uit de gaarkeuken kost 50 piaster, *fetir* LE 1,50. Cola en limonade kosten LE 2 à 3, evenals *ahwa turkiya.* Ook bier en Egyptische wijn zijn behoorlijk voordelig: voor LE 3 à 6 bent u klaar.

Een postzegel voor een brief of een briefkaart naar Nederland of België kost 70 piaster. Voor een buikdansshow moet u wat dieper in de buidel tasten; u moet rekenen op ongeveer LE 100. Kaartjes voor de opera van Cairo kosten tussen LE 12 en 30. Voor een kameelritje hoeft u in principe niet meer dan LE 10 per persoon per uur neer te leggen.

Schoenen of leren handtassen van goede kwaliteit kosten ongeveer LE 80 à 100; de prachtige en decoratieve koperen bladen die op de bazaars worden aangeboden zijn te koop voor tussen LE 100 en 150. Voor zilveren armbanden betaalt u LE 40 of meer. De prijs die u op de bazaar voor dit soort zaken betaalt, hangt af van uw vermogen tot afdingen.

Hotelrekeningen moeten in buitenlandse valuta worden betaald. U mag alleen in Egyptische ponden betalen als u kunt aantonen dat u uw geld volgens de regels bij de bank gewisseld hebt. Credit- cards worden in de meeste grote hotels en restaurants geaccepteerd, maar soms moet daarvoor wel een toeslag betaald worden. Vanwege de ontwaarding van de Egyptische munt moet u er rekening mee houden dat de prijzen voortdurend stijgen. Daarom kunnen de in deze gids vermelde prijzen, evenals de indeling in prijscategorieën, alleen als een indicatie worden beschouwd.

Een goedkoop vervoermiddel: de ezelskar